故事臺灣史 ①

10個
翻轉臺灣的
關鍵時刻

故事 STORY STUDIO 著

慢熟工作室・繪

吳密察（國立故宮博物院院長）・審定

作者序
獻給下一代的臺灣史

　　你知道 1950 年代的臺灣，沒有電視可以看的日子裡，連阿嬤也懂得「斗內」嗎？現在流行的歌唱節目，早在 1960 年代就有開山始祖「群星會」？永和又為什麼會成為豆漿的代名詞呢？每段歷史背後總有精采的故事。

　　每個人都喜歡聽故事，但是卻不是每個人都喜歡讀歷史，「故事：寫給所有人的歷史」團隊一直有一個目標，我們想要把歷史寫給所有人看。網站創辦四年多以來，超過兩千篇的歷史故事，每月觸及率將近百萬，出版超過二十本書，辦理超過百場的活動，成為臺灣人文知識媒體的佼佼者，這就是故事和歷史的力量。

　　不過，我們想做的事情更多，希望向下扎根，為下一代寫歷史。我們希望這套《故事臺灣史》，是讀者的第一套臺灣史讀物，讓他們能在課本之外的地方還可以自己閱讀臺灣史的故事。

　　我們發現過去寫給小讀者的臺灣史故事，偏重從「編年」的角度看臺灣的過去，著重於各個時期的改朝換代，比較少著墨究竟是哪一些事件影響了現在的臺灣。但是臺灣在還沒有文字紀錄前，其實已經有許多族群在這座島上生活，也因為他們為臺灣加入不同養分，讓臺灣長成現在的樣子。臺灣歷史的特殊性，只從「時間」切點是無法完全勾勒輪廓的。因此，我們嘗試在堅實的知識上，運用輕鬆的筆法描繪臺灣的過去，並加入了空間、人物和生活事物的故事介紹，從「人」、「時」、「地」、「物」來貫串在臺灣島上發生的事件，透過彼此之間相互聯繫，將臺灣的歷史更加豐富的呈現出來。

除此之外，我們也把視角拉出臺灣，從世界史的角度思考臺灣的定位，了解臺灣與世界的關係，因此第一本《故事臺灣史：10 個翻轉臺灣的關鍵時刻》以時間為切點，挑選出十個臺灣的關鍵時代，介紹每個時期臺灣島上究竟發生了什麼事情，再想一想這座島嶼跟世界的關係，了解臺灣經歷了哪些改變，為什麼臺灣是現在這個樣貌。

在各國爭奪海權的時代，臺灣在鄭氏王國治理時期，在東亞海域霸權爭奪的歷史中插旗。後來，以陸權為中心的清帝國控制臺灣，讓臺灣一度消失在對外貿易市場，但隨著世界局勢的變化，臺灣才又有機會重返世界的舞臺，並在日本現代化的過程中，成為日本的領土，也因此有了轉變的時機。

歷史不只是過去發生的事情，還會與現實互動，從關鍵的時間點觀察臺灣史，可以發現臺灣島徘徊在不同的強權間，直到一百年前才漸漸有了自己的認同感。不過，書中所陳述的並不是臺灣歷史的全部，而是一把又一把鑰匙，希望藉此讓更多朋友認識臺灣的過去，面對臺灣的現在。隨著時代的改變，我們也要思考什麼樣的歷史觀點符合現在，甚至是未來的社會，以及臺灣的未來。

（國立中央大學中國文學系助理教授、
前故事：寫給所有人的歷史網站主編）

推薦序
臺灣的未來，從關鍵事件與人物發現答案
新北市立丹鳳高中圖書館主任宋怡慧老師

余秋雨說：「歷史是一堆灰燼，當我們把手伸入灰燼中，期待的是星星之火所帶來的餘溫。」當你雙腳踏在慣走的土地，雙手觸摸母土的溫度，關於臺灣重大的事件與人物，我們真的都能留心嗎？

想要窺見臺灣歷史全然的樣態，不能不從世界史的長河中來觀察它流淌而過的曲道，才會看見臺灣史不一樣的定位與風景。不過，在作者的書寫中，歷史不是靜態的，它是和當代現實互動的有機體。臺灣的命運擺渡在自我認同與外來強權間的拉扯，試著從臺灣的過去探究一個未來可實踐的種種可能。

《故事臺灣史：10個翻轉臺灣的關鍵時刻》、《故事臺灣史：22個改變臺灣的關鍵人物》這兩本書保有「故事：寫給所有人的歷史」習慣說故事的口吻，從時間軸角度加入空間、人物、事件的元素，讓臺灣歷史的書寫頓時生動立體起來。就像許慎《說文解字》提到：「史，記事者也。從又持中，中正也。」每個寫史的人都有他選擇的觀點與材料，讀者也能從作者理解的事實，找到你看不見的事實。

《故事臺灣史》系列以故事體的輕鬆筆調，娓娓道來重要的臺灣史事，不只讓讀者擁有閱讀的親切感，也不自覺的走進一個又一個的歷史風景裡：從荷蘭風起雲湧的海權時代到東亞海域驚心動魄的權力爭奪，抑或是清領時代、皇民化時代，臺灣人民在歷史舞臺，失去實質的土地發言權……從十個關鍵時刻與二十二個關鍵人物去思考：「如果當時某個決策改變了，結果是否也會跟著改變了？臺灣的命運與未來是否也會因此政權更迭或有

不同的轉向？臺灣從地理優勢崛起，甚至被推上世界舞臺，最後歷經百轉千迴的淬鍊，我們走向民主自由的道路。」

我始終相信，歷史不只能從課本內的知識去理解，應該還可以跨界到課本外的史料去思辨與深究。這系列的作者不要我們背歷史，他期待用嶄新的史觀視角與學習方法，選擇重要的歷史事件與現實生活連結，透過流暢的敘述，引領讀者有系統、有脈絡的讓我們發現：每個事件的背後，深藏著重要的文化意涵，這更值得我們去探究與思考，而且生活在臺灣這塊土地上，沒有人該是局外人。

從十個關鍵的時空座標與二十二個關鍵人物的專題，著重在歷史人物與事件的聚焦，讓我們更深入探討臺灣史發展的重心。尤其，繪者以貼近讀者的閱讀立場，加入藍鵲老師、小安與彎彎等漫畫人物進行 Q&A 的對話，讓讀者彷彿穿越時空，重回當年的日常生活與情境，沒有違和感的學習臺灣史。加上知識補給站、歷史報你知、大事紀的專欄設計，避免編年體的瑣細與失焦，讀者可藉由多元的專欄，進行重大事件原因和影響的「腦補」。至於，歷史故事的延伸影音，讓我們看見多媒體時代歷史多面、多樣的活潑性與豐富性。

歷史展現一個個過去的圖像，不只讓我們理解歷史，也找到批判思考的鑰匙，一如先民力圖突破和超越困境，拋頭顱、灑熱血的為後代做出無私貢獻，我們才能享有現在的進步生活。若以史為鑑，走在歷史的風景裡，我們又該選擇往哪裡去呢？我想，在《故事臺灣史》裡，我們都找到了答案。

本書特色

本書從十個關鍵時刻，掌握臺灣改變的契機。

1. 故事引言介紹，透過插畫呈現主軸及大時代氛圍。

2. 故事主文會告訴你關鍵時間點發生了哪些重要的事情。

3. 「歷史報你知」專欄會告訴你隱藏的趣味歷史知識。

4. 「大事紀」讓你掌握當時世界發生了什麼事情。

5. 掃描 QR Code，跟著歷史故事影音，從不同面向認識臺灣歷史。

出場人物

藍鵲老師

年齡不詳,沒有人知道他從哪裡來,隨時隨地都拿著書不放,是個彷彿什麼都懂,什麼都知道的歷史專家。每到一個地方,都可以侃侃而談,説出屬於那裡的故事。

小安

11歲,一年級時曾搭鐵路小火車上阿里山玩,覺得那裡充滿神祕氣息,從此愛上鐵道旅遊。最喜歡做的事情是「吃東西」,只要有好吃的食物,什麼地方他都願意去!

彎彎

10歲,小安的鄰居。藍鵲老師是她和小安的祕密朋友。她最喜歡在週末時跟著藍鵲老師,四處旅行,了解臺灣的故事。

【目錄】

明復清反

序 章

　　臺灣的故事該從何說起呢？也許是很久很久以前……

　　久到沒有文字紀錄的時代，我們得靠其他的考古研究來輔助，才能知道在臺灣的故事。人類在 500 萬～ 700 萬年前才出現在地球上，臺灣島大約在距今 650 萬年前才誕生。根據考古學家研究，一直到至少在西元前五萬年至五千年這段時間，才有人群在臺灣島上活動。不過，在大約西元前五千年左右，他們慢慢從臺灣向南移動，就慢慢遷徙、擴散到了現在的馬達加斯加和紐西蘭等地區。

嗚……我誕生了六百多萬年後，才終於等到人類在這裡活動……

哎呀！雖然等了很久，不過後來在臺灣發生了許多精彩的故事呢！

 ## 史前臺灣與南島語族

　　這些早期在臺灣活動的人群，屬於「南島語族」。他們的起源，目前眾說紛紜，有些學者認為中國以南中南半島沿海是主要起源，不過也有研究

學者指出臺灣才是南島語族的發源地。無論如何，目前在臺灣的原住民血統上並不是屬於歐亞大陸族群，比較有可能是開創海洋文化的族裔。

　　至於生活在臺灣島上的南島語系族群，則包含大家熟悉的阿美族、泰雅族、排灣族、布農族、卑南族、魯凱族、鄒族、賽夏族、雅美族（達悟族）、邵族，還有噶瑪蘭族、撒奇萊雅族、太魯閣族、賽德克族、拉阿魯哇族、卡那卡那富族等，除了他們之外，還有正在努力尋回自我定位的平埔族群、西拉雅語族（又可以分成西拉雅、大武壠還有馬卡道三個族群）、巴宰族、巴布拉（拍瀑薩）族、噶哈巫族等。

　　雖然臺灣島上有這麼多的族群，也有不少遺留下來的文化遺跡，不過，到目前為止蒐集到的考古資料，依舊沒辦法完整呈現臺灣內部南島語族的遷徙過程，因此研究者也只能推測原住民是在島內擴展後，再從臺灣移居到海外。這群原住民是在臺灣島上一切故事的起點。

小小的島上，居然聚集了這麼多族群，人家好感動啊！

臺灣：島與人的歷史

人類踏上臺灣的時間雖然很早，不過留下文字紀錄的時間卻很晚。有些學者認為中國隋朝典籍中「流求」或「蓬萊」指的就是臺灣，但也有研究者認為可能是指當時在東海海域上的任何一座島嶼。

在臺灣活動的原住民一開始並沒有留下文字歷史，僅有透過吟唱的古調和口述歷史在世代之間傳承。因此，在還沒有文字紀錄前，臺灣彷彿遠離世界的變動。即使島上居民在遷徙的過程中，語言、生活與文化可能發生了變化，甚至是部落與部落之間發展出合作或是競爭關係，甚至建立了區域性的部落聯盟。同時間，也有些東亞諸國的海盜、商人或官兵造訪，但大多數並未久留在臺灣島上。

還好有考古的紀錄和人類學的研究以及大航海時期的一些探險家的紀錄，讓我們得以認識這座島嶼上最早的居民，也能窺見臺灣一路走來的歷史。

接下來，我們要一起探索十個臺灣歷史上的轉捩點，在每一個關鍵時刻，都對島嶼的命運造成深遠的改變，影響甚至一直延續至今。

屬於臺灣故事的第一個轉捩點，我們要越過海洋，前往很遠、很遠的地方，到另外一個曾經與臺灣有著密切關係的國家——荷蘭。

這就要從荷蘭為什麼要
來臺灣說起啦～快點往
下看就知道囉！

不過，臺灣跟荷蘭距離
這麼遙遠，為什麼會影
響臺灣啊？

終於要開始好好認
識我了，好期待
啊～

【壹】 臺灣世界舞臺初登場

傳說十六世紀葡萄牙人航海時發現臺灣，
忍不住讚嘆：「Ilha formosa ！」（好美麗的島！），
臺灣從此有了「福爾摩沙」的稱號。
不過，西方人真的開始認識臺灣，
還得等到近一百年後的十七世紀，
荷蘭人遠渡重洋來到臺灣，也讓臺灣站上了世界歷史的舞臺！

聖薩爾瓦多城

聖多明哥城

普羅民遮城

熱蘭遮城

臺南赤崁樓，前身為1653年荷蘭人蓋的要塞「普羅民遮城」。

大家都知道荷蘭人曾經在十七世紀占領過臺灣，但是，你是否曾經好奇過，臺灣這麼小，遠在九千公里以外的荷蘭人，幹麼非得千里迢迢渡海來占領它呢？難道只是想要獨占資源？或是建立一個海外據點？還是有其他目的呢？

　　其實，對荷蘭人來說，這是一場移師東亞的「荷蘭獨立戰爭」！趕走對臺灣也很有野心的西班牙人，搶奪在中國門外的據點才是真正目的。但對臺灣來說，這是首度被迫捲入國際紛爭中，也同時取得了在世界歷史舞臺登場的機會！

捲入荷、西之爭

「為什麼大家都覬覦我啊，我好無辜……」

　　故事得從荷蘭跟西班牙的錯綜複雜關係開始說起……

　　荷蘭原本是西班牙的領地，由於它是西歐的商業中心，所以向來比西班牙本土富裕許多，它的稅收可占西班牙近半的收入。十六世紀末，荷蘭人因為受不了西班牙連年的苛稅與宗教改革引起的戰爭，終於在 1568 年開始正式反抗西班牙，追求獨立。1581 年，在今日荷蘭和比利時北部成立了「尼德蘭七省共和國」（De Republiek der Zeven Verenigde Nederlanden，以下簡稱荷蘭），這個新國家與西班牙除了在歐洲本土開戰，也在海外據點互相攻擊。

　　當時西班牙與荷蘭相繼在東亞拓展領地 —— 西班牙駐守在今日菲律賓，荷蘭則以印尼為據點。有些亞洲國家，如日本，開始有了警覺心。在 1590 代統治日本的豐臣秀吉出兵朝鮮半島時，就曾提及要順便攻打「南蠻」（指陸續來到東南亞的歐洲人）。

　　西班牙人當然不是省油的燈，他們開始把目標望向地理位置十分優越的臺灣，一來可以防禦日本的攻擊，二來可以作為經營東北亞貿易的極佳據點。

　　這時候，長期與西班牙對立的荷蘭，已經察覺到西班牙的意圖，開始加快腳步，希望早日在中國（當時為明帝國統治）與菲律賓之間找到新的殖民地，以打亂西班牙人的貿易布局。所以荷蘭人多次攻擊澳門（當時為葡萄牙據點）以及隸屬中國的澎湖，卻都沒有成功。

　　直到 1622 年，荷蘭與明帝國官員談判，雙方達成共識，荷蘭轉向無人管轄的臺灣發展。最後，荷蘭聯合東印度公司第一任總督宋克（Martinus Sonck） 在當時最有勢力的武裝海商集團領導人李旦（其實他也是海盜首領）幫助下，順利在安平建立了熱蘭遮城，開始統治臺灣。

　　西班牙當然不會輕易把臺灣拱手讓給死對頭，為了制止荷蘭的擴張，他們在 1622 年在雞籠灣小島上建立了「聖薩爾瓦多城」（Fort San Salvador，位於今日基隆和平島），隨後又在淡水建立「聖多明哥城」（Fort Santo Domingo），占領了臺灣北部。

　　只是，西班牙在東亞的經營並不順利，1633 年後，被日本幕府逐出境外，

無法拓展對日貿易。而且，在臺灣的據點無法獲得經濟自主，更難與荷蘭抗衡。

另一方面，當時西班牙已經捲入宗教戰爭多年，國家經濟狀況已經開始下滑，為了減少開支，終於決定捨棄聖薩爾瓦多城。1642 年，荷蘭人由雞籠入侵北臺灣，西班牙從此全面棄守臺灣。

最後，在歐洲本土及海外據點都遭到荷蘭攻擊的西班牙，不得不承認它的獨立。西班牙國王菲利浦四世在 1648 年簽下《明斯特和約》（Peace of Munster），確立荷蘭法理上的獨立地位。這場獨立戰爭，整整打了八十年。

在荷蘭爭取獨立的過程中，原先不屬於任何國家的臺灣，也順理成章為荷蘭拓展遠東海運線的前哨站。

自己的國家打不夠，還打到別人的土地上耶！

就是說啊，臺灣怎麼這麼衰……

但是，荷蘭人也開始改變了臺灣的命運，讓我們繼續看下去……

荷蘭聯合東印度公司是什麼碗糕？

　　荷蘭人透過荷蘭聯合東印度公司（Vereenigde Oostindische Compagnie，簡稱 VOC）治理臺灣，究竟東印度公司是什麼樣的組織，可以像政府一樣管理臺灣，甚至能發動戰爭呢？

　　其實這家神祕的公司，是由尼德蘭七省共和國在 1602 年簽字聯合成立。它的遠東總部設置在巴達維亞（今日的印尼雅加達），權力相當大，不但可以獨家經營荷蘭在遠東地區的貿易，還能和其他國家宣戰、締約、占地建城，發行貨幣，並向各管理地區徵稅，甚至有司法判決的權力，最後還發展成第一家在阿姆斯特丹成立證券交易所掛牌的公司。

　　另外，自 1612 年起，東印度公司各地的長官，會將各地區運作的狀況以日記記錄，並且寄回荷蘭的總公司作為報告，這些日記也成為今日我們了解當時歷史的重要資料。

■ 東印度公司貿易地圖

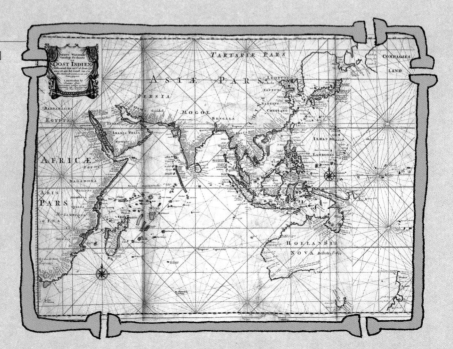

荷蘭人與平埔族的衝突

　　荷蘭人終於如願以償趕走西班牙人，但是，天生反骨的臺灣人，會甘心順服他們的統治嗎？當然不會！首當其衝對上荷蘭人的，就是當時住在沿海平原的臺灣原住民——平埔原住民。

　　根據荷蘭人的紀錄，當時臺灣的平埔人口約有六～十萬人。荷蘭人主要控制的北臺灣、西部平原、屏東平原、恆春半島以及臺東等地區，合計約有三百多社的平埔原住民。但是位於南部的西拉雅、中部的水沙連、大肚等平埔聚落則不受控制，各自為政。

　　荷蘭人曾經和統治大肚的大肚王發生衝突，但當時大肚王的勢力太龐大，荷蘭人也不得不妥協，最後兩方達成協議，大肚王可保留原有的權力，但必須配合東印度公司，從此變成半獨立的部落聯盟。不過到最後，大肚王也因遭到強力打壓，在十八世紀走入歷史。

但是南部西拉雅諸社就不像大肚王這麼幸運。由於西拉雅人與荷蘭人的主要生活區域重疊，常常發生衝突。後來荷蘭人利用了西拉雅各社之間原有的矛盾，讓他們變得無法團結，最後再以武力進攻，迫使西拉雅人不得不接受荷蘭制定的種種規範，同時被也迫繳交稻米或鹿皮的年貢。

引爆「郭懷一事件」

搞定平埔原住民後，荷蘭也開始召募大量希望能躲避明清戰禍的閩粵移民來臺灣，並提供給他們牛隻、農具和種子。不過，這些移民不但沒有自己的土地，也得繳交高額稅賦，還被嚴禁與「日子相對過得比較好」的平埔原住民交流。各種高壓剝削的統治，終於在 1652 年引爆「郭懷一事件」。

郭懷一是閩粵移民的開墾領袖，懂得荷蘭語的他，年輕時就曾在日本擔任鄭芝龍船隊的代表，負責與荷蘭東印度公司往來。他的特殊身分，也讓當時治臺的荷蘭政府有所顧忌，不得不授予他漢人領袖地位，以便能籠絡並就近監視。不過，郭懷一對荷蘭人治臺的方式非常不滿，他曾向鄭芝龍、鄭成功提出派兵來臺的建議，但當時鄭氏父子並不理會他，因此郭懷一轉向聯合飽受壓迫的閩粵移民一起反抗。

1652 年，郭懷一率領約四千人的反抗軍，手拿農具、火把當武器，攻下普羅民遮城（現今的臺南赤崁樓）。但是這次的反抗行動很快就被荷蘭人擊潰，宣告失敗，郭懷一及兩千名參與的反抗軍，全數遭到無情的殺害。

荷蘭人退出臺灣

風水輪流轉，荷蘭人風光的日子並不長久，郭懷一事件的八年後，退居中國南方的政權明帝國滅亡，自認是明帝國忠臣的鄭成功，失去原先的根據地，一路敗退到澎湖，終於決定奪取臺灣。1661 年，鄭軍先攻破防禦力較弱的普羅民遮城，隔年再攻下熱蘭遮城，逼退荷蘭人。最後，荷蘭總督揆一（Frederick Coyett），代表荷蘭在降書上簽字，荷蘭自此失去經營將近四十年的臺灣。臺灣的命運也從此轉向……

■ 1650 年荷蘭人繪製原住民追逐鹿圖。

其實要感謝荷蘭人留下許多珍貴的紀錄，就像是這張圖，讓我們才能知道那短短四十年中發生在臺灣的重要事件喔！

我記得荷蘭人統治臺灣明明沒多久呀，竟然發生這麼多事……

荷蘭人對臺灣的文化貢獻

　　對臺灣來說，十六世紀是相當重要的發展時期，當時歐洲國家紛紛想在亞洲做生意，因此進入東亞。荷蘭人也是如此，他們占領臺灣，除了想阻撓西班牙的布局，也想利用臺灣作為與中國貿易的根據地，買進中國所產的生絲和瓷器，再轉賣到世界各地。所以荷蘭人的治臺期間，也將臺灣所生產的砂糖、米、鹿皮、鹿肉大量銷往日本、中國和世界各地，獲得非常多的利潤。

　　此外，除了商業利益，荷蘭人到臺灣還有一項很重要的工作──傳教。為了傳教，他們學習平埔原住民的語言，還將聖經翻譯成原住民語，並教育原住民利用羅馬拼音拼寫自己的語言。

　　在新港（今日新市）一帶發現的「新港文書」，就是荷蘭宣教士流傳下來的西拉雅語文書，顯示後來沿用了上百年。由於荷蘭人教會他們使用記音文字，也讓臺灣有了自己的歷史紀錄。而荷蘭人自己也留下不少與臺灣有關的文字資料，這讓臺灣從口說歷史時代，轉向有文字記述的歷史時代。

■ 古荷蘭語（左）和新港語（右）並列的馬太福音，約於1650 年左右印製。

這個新港語唸起來好奇怪喔，簡直比英文還難！

歷史報你知：
荷西時期你不知道的事

・臺灣開始從史前時代進入歷史記錄時代。
・臺灣首度出現政府型態的治理組織。
・新港文字讓新港社平埔原住民成為最早會寫字的臺灣人。
・荷蘭人為臺灣引進水泥（閩南語稱「紅毛土」）、黃牛，還有釋迦（閩南語稱「番荔枝」）、蓮霧、櫻桃番茄、豌豆（閩南語稱「荷蘭豆」）、土芒果等植物。

大事紀

1622 年－荷屬東印度公司占領澎湖。
1624 年－荷蘭人在臺南安平建熱蘭遮城。
1626 年－西班牙人占領基隆，在基隆和平島建聖薩爾瓦多城。
1627 年－臺灣史上的第一個傳教士 Georgius Candidius 來臺傳教。
1628 年－西班牙人占領今日淡水，興建聖多明哥城。
1642 年－荷蘭人奪下聖多明哥城，趕走西班牙人。
1652 年－郭懷一事件。
1653 年－荷蘭人加強普羅民遮城建築工事。
1661 年－鄭成功由鹿耳門登陸臺灣。
1662 年－荷蘭結束統治臺灣。

歷史故事延伸影音 ▶

Taiwan Bar -【臺灣世界史第 1 集】
等燈！征服者入侵？大航海時代的臺灣

Taiwan Bar -【臺灣世界史第 2 集】
哥倫布發現新大陸了嗎？歐洲人下海的原因

【貳】將漢人文化植入臺灣的海賊家族：鄭氏王朝

一生以「反清復明」爲人生指導原則的鄭成功，
1661年趁著漲潮率領軍隊，從鹿耳門水道登陸臺灣，擊敗荷蘭人，
開始以普羅民遮城（今赤崁樓）爲據點，統治臺灣，
而他的兒子鄭經更擴大經營島國，
奠定了臺灣以漢人文化爲主的根基。

臺南孔廟，是全臺第一座孔廟，已有三百多年歷史。

在臺灣，鄭成功是一個響叮噹的人物，幾乎所有人都聽過他趕走荷蘭人的傳奇故事。

鄭氏家族在臺灣歷史上更是占有重要地位，影響極為深遠。但是，很多人並不知道，其實這個顯赫的家族在臺灣建立王國之前，曾經是叱吒一時的海盜集團呢！他們究竟為什麼會在臺灣落地生根？又與同時期的清帝國、日本發生什麼錯綜複雜的糾葛呢？

 ## 海盜家族的起源

鄭氏家族的故事要從鄭成功的爸爸──鄭芝龍說起。鄭芝龍出生於 1604 年，當時正是海權興起的時期，西班牙、葡萄牙、荷蘭等歐洲各國都在努力發展海上勢力，因此紛紛來到東方尋求商機。然而統治中國的明帝國卻長期實施「海禁」政策，除了禁止人民私自出海，也禁止人民與外國商船進行交易，更禁止外國與中國通商。

為什麼明帝國與歐洲國家會有如此截然不同的做法呢？

其中一個原因是在十四世紀時，日本皇室發生內亂，政局動盪造成人民流離失所，為了生存，他們淪為「倭寇」，也就是我們熟知的海盜，不斷侵擾中國沿岸地區，搶奪財物，讓中國百姓和官府不堪其擾。

當時閩粵居民也常乘著地利之便，出海與外國船隻私行交易，成為明帝國政府稅收的漏洞。種種原因之下，明帝國採取與歐洲海權國家截然不同的海禁政策，以杜絕「倭寇」和「走私」。不過這裡指的「倭寇」並不全是日本人，裡頭也有不少中國的失意政客或是難民混雜在其中。

鄭芝龍就是在這樣的時空背景誕生的一代梟雄。他早年曾投靠在澳門的舅舅，由於當時澳門已經租借給葡萄牙，所以鄭芝龍有機會學習葡萄牙文，還受洗成為天主教徒，進一步了解西方文化。

　　之後，鄭芝龍前往日本平戶做生意，認識了當時最有勢力的海盜李旦，他靠著語言能力，緊抓機會，協助荷蘭人與日本人的貿易，周旋於東方與西方勢力之間，漸漸建立了鄭氏家族的海上霸權。他憑藉著強大的武裝勢力，控制中國沿海、臺灣、日本與東南亞海域，壟斷了絲綢、瓷器、茶葉等重要商品的交易，堪稱一方之霸。

他曾經擔任荷蘭通事，負責翻譯工作，可不是一般的海盜呢！

其實鄭芝龍是海盜首領嘛！

所以，是多重身分的「國際化」海盜囉？

中國「甲必丹」李旦

　　李旦是十七世紀著名的海盜，福建泉州人。他曾在菲律賓經商，受到西班牙人的影響而信奉天主教。

　　後來他移居日本平戶，與日本人聯合組成海上武裝勢力，在日本、明帝國、臺灣與東南亞一帶進行貿易活動。他擁有自己的商船，亦商亦盜，名聲遠播。當時在東亞海域活動的荷蘭人、西班牙人與英國人皆稱他為「中國甲必丹」（China Captain，中國船長，是當時對漢人領導者的稱呼）。

　　由於李旦與中國、荷蘭皆有貿易關係，在荷蘭人占據澎湖時與明帝國開戰，他順理成章成為和事佬，派遣會說葡萄牙語的鄭芝龍協助荷蘭人與中國談判。這項任務讓鄭芝龍與臺灣有了緊密的關係，西洋人稱呼鄭芝龍為「一官」（Iquan）。

　　1625年李旦去世，海盜集團分裂，鄭芝龍自立門戶，逐步建立了自己的海上帝國。

可惜李旦留下的資料不多，不然就可以研究當時的海運航線和跨國交流情形了。

好厲害喔，甲必丹李旦是跨國海盜耶！難怪後來接收他勢力的鄭芝龍也可以成為霸主！

海盜集團的轉型

　　鄭芝龍在離開日本前已經娶了日籍妻子田川氏，後來在日本肥前國平戶島（現今日本長崎縣），生下兒子鄭森（就是鄭成功）。當時的日本還是封建時代，所以諸侯們各自擁有領地。

　　後來，鄭芝龍將兒子鄭成功接回自己身邊，他一手建立的海上霸業自然由兒子繼承。鄭氏父子周旋在明帝國與荷蘭人之間，開創了東亞海域上前所未有的海上帝國。如果當時明帝國沒有被滿清消滅，或許鄭家的海上勢力應該還會維持更久的時間。

　　1644 年，明帝國的首都北京被起義軍的領袖李自成攻陷，後來將領吳三桂引清兵入關並剿滅李自成勢力，明朝滅亡。隔年，清兵攻下江南，鄭芝龍投降。

　　在明帝國滅亡後，有一部分皇室與遺臣逃至南方，先後在揚州、福州等地建立政權，試圖維繫明帝國王室血脈，後來歷史學家稱為「南明時期」（1644-1662）。

拜拜，福爾摩沙，從此以後，你就是鄭家人的了！

　　不同於父親鄭芝龍投降清帝國，鄭成功選擇了不同的道路，他領導的海盜集團成為南明抵抗清帝國軍隊的重要力量，鄭成功的形象也由「海盜」轉變為明帝國「忠臣」。

　　當清兵勢力步步南逼，鄭成功漸漸失去在中國的根據地，據點只剩下廈門和金門，而且隨時都有被清兵攻陷的危機。就在這個時候，鄭成功想到了臺灣。臺灣與中國一水之隔，進可攻，退可守，是最適當的據點。但是，難題來了──當時的臺灣（主要是大員地區）被荷蘭人控制，若要取得臺灣，免不了得與荷蘭一戰。

　　當時荷蘭人在大員的防禦要塞有兩個，一個是位於大員的「熱蘭遮城」，一個是位於臺江赤崁的「普羅民遮城」。1661 年，鄭成功先率領部隊從鹿耳門進攻「普羅民遮城」，然後又攻擊「熱蘭遮城」，成功將荷蘭人趕出臺灣，開啟了鄭氏家族在臺灣的經營。

鄭氏王朝奠定臺灣發展基礎

　　鄭氏轉向臺灣發展後，以大員為基地，開始一連串的開發行動。雖然他們治臺期間（包括鄭成功、鄭經與鄭克塽祖孫三代），只有短短的二十一年，卻為臺灣建立了政治、經濟、軍事和禮教等制度，為日後臺灣（特別是臺南地區）的發展奠定基礎。

　　那麼，鄭氏家族到底在臺灣做了哪些事情呢？

　　鄭成功治理臺灣的首要任務是「屯墾」，他們以大員為中心，分別向北與向南進行開墾——北往噶瑪蘭（現今宜蘭），南部往屏東恆春拓展。當時臺灣中部已經有平埔原住民大肚王，控制臺中、彰化、南投一帶，所以鄭氏家族在臺灣實際統治的區域主要局限在南部地區，大約是彰化二林到屏東佳冬的範圍。

　　鄭成功把「熱蘭遮城」改名為「安平鎮」，「普羅民遮城」則改名為「東都明京」，意思是「位在東邊的明帝國京城」，由此可知他對明帝國朝廷

所以鄭氏家族的首都在臺南耶！

是啊，隨著後來的開發，才慢慢拓展到其他地區呀。

好好奇當時的臺北是什麼樣子喔？

的敬重。他也在臺灣設立「一府二縣」行政區制，由「承天府」管轄「天興縣」和「萬年縣」，這些行政管理單位皆位於現今的臺南市。

　　鄭成功更以「反清復明」為號召，吸引了大批明朝遺民來臺，他十分尊崇儒家禮教，並禮遇來臺的明朝宗室。鄭氏的龐大勢力與一連串號召移民行動，對清帝國來說，有如芒刺在背，為了消滅明鄭政權，清帝國開始實施「海禁」政策，意圖阻止中國沿海居民與在臺灣的鄭氏家族往來通商。1661 年，清順治皇帝更進一步發布「遷界令」，命令沿海居民往內地遷移三十至五十里，焚毀原來的住屋與田舍，造成田地荒廢，居民也頓失家園。

　　不過，如此讓清帝國忌憚的英雄人物，來臺不到一年卻突然病逝，年僅39 歲。關於鄭成功的死因，由於缺乏明確的歷史紀錄，我們很難知道他罹患了何種病症。不過，在清帝國的紀錄與天主教傳教士的報告中都提到，鄭成功去世前似乎在精神上受到極大刺激，彷彿發狂一樣。

為什麼我這麼早死呀？好想活下來，完成反攻大業呀！

新王國的新氣象

鄭成功去世後，鄭家人展開了一段「叔姪之爭」——鄭成功的弟弟鄭襲與鄭成功的嫡長子鄭經競奪王位，最後鄭經獲勝，而鄭襲投奔清帝國。鄭經掌權時，「南明」最後一位皇帝永曆已被殺害，因此鄭經廢除了「東都」，自稱「東寧國王」。從一些西方文書資料研究顯示，這個由鄭經成立的「東寧」被視為一個獨立的王國，治理範圍就在臺灣。

建立東寧王國的鄭經，重用賢明的陳永華輔佐自己治理臺灣，並開始在臺灣實施「保甲制度」，人民不管搬家、家中成員變化、婚姻或是職業資訊全都要透過保甲向地方官員報備，有助於管控戶口及治安。另外，陳永華也建議鄭經進行「軍屯」，種植稻米供軍糧使用。在教育上更推廣儒家思想，建立臺灣第一座孔廟，也就是現今臺南的孔廟，由於這是第一個由官方設立的儒家學堂，因此又有人稱它為「全臺首學」。

另外，鄭經治理期間也制定了科舉考試制度，透過這些政策，以閩南為主的「漢文化」因此傳入臺灣，成為臺灣文化的重要養分之一。

立足臺灣，迎向國際

鄭經除了經營臺灣之外，也沒有放棄海洋事業，畢竟海洋才是鄭氏王國真正的大本營。鄭經積極發展海上貿易，與日本德川幕府以及英國「東印度公司」都有密切往來，透過貿易增強實力，並向英日兩國購買火藥武器，強化臺灣的防禦能力。

　　鄭氏經營的海洋航線中，位於菲律賓的馬尼拉是值得關注的一站。鄭成功時期，就有攻打馬尼拉的計畫，因為十六世紀西班牙統治菲律賓之後，竟然展開屠殺華人的行動，由於當時菲律賓有許多閩南華僑，鄭成功希望能協助拯救當地的華僑；另一方面，馬尼拉位居南洋要衝，若能控制該地，就可讓鄭氏掌控的海上島鏈從日本向下延伸至南洋。

　　不過，鄭成功的討伐計畫因他的病情而終止。到了鄭經時代，也曾準備攻打馬尼拉，但是 1673 年爆發「三藩之亂」，鄭經將臺灣部隊調派至福建地區，支援當地的叛將耿精忠對抗清廷，因此攻占菲律賓的計畫也沒有實現。這項行動同時也替鄭氏王國的勢力帶來了新的變化……

鄭家人治理臺灣，雖然只有短短 21 年，卻留下不少影響呢！

他們從海盜變成統治者，故事真的好精彩！

鄭家人簡直是臺版的海賊王啊！

三藩之亂

　　清朝初年，由於統治基礎尚未穩固，清廷讓明帝國三大降將成為漢人藩王，史稱「三藩」，分別是吳三桂、耿精忠與尚可喜三人。他們治理中國南方，對抗明帝國遺族。之後隨著南明被滅，加上鄭成功去世，鄭氏勢力逐漸瓦解，清廷決定裁撤三藩，將中國南方納入中央權力，卻遭到三藩的反抗而爆發戰爭。鄭經同時也派兵前往支援反抗清廷。

　　困守臺灣的鄭經，當然不會錯過這個反攻的好機會，派兵前往支援耿精忠對抗清廷。三藩起兵之初，勢不可擋，但是後來卻遭到清廷一一覆滅。終於掌握中國南方的清廷，下一步則是瞄準在臺灣的鄭氏王國。1683 年，清軍渡海前往臺灣，鄭經之子鄭克塽投降，結束了鄭氏家族的海洋霸權及在臺灣的政治勢力。

■ 清荷聯軍與鄭氏軍隊在金門一帶大戰

這次三藩戰敗，一口氣失去金門和廈門呢！

找鄭氏家族死對頭幫忙，清廷好好奸詐！

打仗本來就是這樣啊！

歷史報你知：
鄭氏王國時期你不知道的事

· 在臺興建第一座孔廟、設立「全臺首學」。
· 軍隊屯墾之始。
· 引進科舉制度。
· 第一個漢人政權。

大事紀

1625 年－李旦去世，鄭芝龍接管其勢力。
1646 年－鄭芝龍投降清帝國。
1661 年－鄭成功將臺灣改名為東都，置承天
　　　　府，設天興、萬年兩縣。
1661 年－ 11 月，鄭芝龍被清帝國斬首。
1662 年－鄭成功去世，鄭經繼位。
1662 年－南明最後一位皇帝永曆逝世。
1663 年－清荷聯軍，攻打金門、廈門。
1664 年－鄭經改稱臺灣為東寧，自稱東寧國
　　　　王。
1666 年－臺灣第一座孔廟在臺南落成。
1674 年－三藩之亂。

歷史故事延伸影音

Taiwan Bar -【臺灣世界史第 3 集】
鄭成功是在成功什麼啦？

【參】從化外之地到帝國的邊陲

鄭氏王國治臺期間，
清廷對中國東南沿海的控制想法也開始改變，
從一個眾人覬覦的小島，變成鄭氏王國治理，
後來，又被迫劃入了清帝國版圖，
這段期間，臺灣島上究竟發生了什麼事情呢？

臺南延平郡王祠，是清治時期最早的官祀鄭成功紀念祠。

　　十七世紀前，臺灣還是一個原住民居住的「化外之地」，少有文獻記載，到了十七世紀初才因為優越的地理位置而引起西方國家注意，除了荷蘭、西班牙曾在這裡留下足跡。就連鄭成功一開始來到臺灣，也是將臺灣作為反攻復興基地，由此可見臺灣地理位置的重要性。

　　鄭氏王國約二十年的治臺期間，建立了一個以臺南為中心的政權，也在臺灣這塊土地上努力開發，最遠曾一度在基隆建立據點，不過，原住民的反抗與衝突不斷，所以除了臺灣南部以外，都只是小規模的占領。

 ## 鄭氏王國對臺灣的開發與治理

　　鄭氏和荷蘭人面對原住民的懷柔政策有些不同，除了賦稅外，也會要求原住民提供勞役，甚至還將他們調到廈門協助打仗。

在制度建立方面，鄭氏除了引進各種儒家教育、官制與科舉考試之外，也實施「屯田政策」，並派兵進駐各區域，並從事當地的開墾。不過，雖然明鄭時期的土地稅收比起荷蘭治臺時期大有成長，但是仍然不足以維持整個鄭氏王國運作，因此，與中國東南沿海、東南亞一帶的海上貿易仍是鄭氏主要收入來源。

鄭經甚至在 1670 年和英國東印度公司合作，允許他們在臺灣設立商館，並簽署「鄭英協議條款」的通商條約，鄭氏有權要求該公司的商船進入港口時，需將各種槍砲、彈藥移交給官府，並在船隻出港時歸還。除此之外，這些入港的船隻必須替鄭經攜帶槍砲彈藥、香料、布匹等商品；英國東印度公司還得提供兩位槍手替鄭經服務！

從這些條款規定，可見鄭經的外交手腕十分高明，而鄭氏王國與外國貿易商關係密切。在鄭氏的努力下，臺灣作為中國、日本和東南亞的貿易轉口站的位置更為穩固。

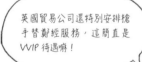

英國貿易公司還特別安排槍手替鄭經服務，這簡直是 VVIP 待遇嘛！

你忘啦，鄭氏家族原本就是叱咤海上的海盜，況且，鄭經是當時臺灣的「國王」，地位不凡啊！

鄭氏王國勢力削弱

因為鄭氏雄厚的海上貿易實力，讓清帝國只能繼續實施禁海令，希望能切斷鄭氏與中國沿海各省的聯繫與貿易。直到 1674 年，鄭經調動軍隊前往中國參與吳三桂等人的「三藩之亂」，才破壞了清帝國與鄭氏王國十多年互不侵犯的局面。三年後，福建和廣東陸續投降，鄭氏王國占據的廈門也遭到清軍攻下，最後只好回到臺灣。

在參與「三藩之亂」期間，鄭氏在東南沿海的貿易也受到很大影響。1679 年，清廷更下令加強嚴格取締鄭氏在沿海地區徵集糧食，以杜絕對臺灣的任何接濟。由於鄭氏無法從沿海地區取得糧食與資源，只能再加重海上貿易的比重。

清帝國的對臺政策轉變

1681 年鄭經去世，鄭氏家族再次陷入權力鬥爭，鄭經之子鄭克塽被擁立成為新王，此時他們對於清廷的對抗意識已經大大減弱，也幾乎放棄了「反清復明」的想法。之後，鄭氏王國更是多次和清帝國展開談判，但都無功而返。1683 年，康熙再次否決由鄭家代表劉國軒提出「稱臣進貢」想法後，表示清帝國對臺政策已由和平相處轉為積極攻下。

想要攻下臺灣，必須要有了解臺灣的人。原本是鄭成功麾下大將的福建水師提督施琅正是不二人選。熟悉海戰與兵法的他，原本深受鄭成功寵信，後來因故反叛，向清帝國投降。他率領船隊，進攻澎湖馬公，並在這

場戰役中一舉剿滅了多達一百多艘鄭氏王國的船艦。由於澎湖失守，加上禁海令的影響，鄭氏王國內的米糧漸漸無法正常供應臺灣軍民食用，在內憂外患的夾擊下，鄭氏也不得不派人與施琅進行議和。

　　十分熟悉鄭氏王國的施琅則向官民們承諾：只要投降就不會遭受處罰，這讓所有的官民們連原先剩下的一絲絲抵抗想法都消失殆盡，最後由鄭克塽出面投降，結束了鄭氏王國在臺灣的統治，而臺灣的命運也有了新的轉變，即將進入帝國統治。

當時福建總督姚啟聖才是神助攻，他派軍隊進攻，又釋出利益誘惑官民投降，才能這麼順利喔。

施琅攻臺，簡直有如神助耶！

哇！軟硬兼施，從內部分化，又給予外部壓力，這招厲害！

施琅與荷蘭人的祕密協商

雖然清帝國勢如破竹攻下臺灣，但其實一開始並沒有「非要」將臺灣納入版圖。清康熙皇帝請施琅和其他官員針對臺灣棄守進行評估，甚至一度出現「將臺灣歸還荷蘭」的意見。

攻下臺灣的大功臣施琅則是希望藉此機會，獲取主導海上貿易網絡的機會。他曾積極拉攏荷蘭東印度公司，詢問過東印度公司是否想再度占領臺灣，但翻譯人員卻告訴他，如果不能和中國進行自由貿易，掌管亞洲事務的巴達維亞當局就不會考慮經營臺灣，因為欠缺貿易利潤，占領臺灣會讓東印度公司不敷成本。

這個翻譯人員後來在給東印度公司報告中，就記錄了施琅想要促使荷蘭東印度公司取得中國貿易權利；甚至在英國東印度公司也記錄了施琅曾計劃在廈門設立歐洲人的貿易據點。不過，英國和荷蘭兩家公司都認為，如果欠缺貿易利益下，將臺灣占為己有只會讓公司的營運陷入困境，所以都興趣缺缺。

正當施琅與這些外國公司進行利益交換的布局，作為新任福建總督王國安上任了，他反對施琅的想法而且康熙皇帝也不支持施琅將廈門作為海外貿易據點的構想。1684 年時，兩廣總督吳興祚默許各國船隻在珠江口進行貿易，這讓荷蘭東印度公司找到和中國貿易的其他方式，卻也讓施琅原先的構想越來越不可能實現。

隔年施琅和荷蘭東印度公司代表在福建見面時，荷蘭代表更直接表示他們對於臺灣納入清帝國版圖沒有意見，也十分樂見臺灣由清帝國統治，臺灣被納入清帝國版圖幾乎大事底定。之後，荷蘭東印度公司轉移貿易中心，在中國貿易逐步縮減，但對印度的貿易活動卻與日俱增。

 ## 施琅與臺灣的命運連結

看到這裡，你可能會覺得很奇怪，花了九牛二虎之力才攻下臺灣的施琅，為什麼又這麼多次試探荷蘭意願，想把臺灣送給荷蘭人呢？說來說去，其實都是為了商業利益。施琅想藉由臺灣將荷蘭收為商業夥伴，好讓自己可以利用福建、廈門等地區作為貿易據點，獨占外國通商的最大利益。

但是事與願違，當時荷蘭東印度公司考慮自由貿易的利益，以及經營臺灣所要花費的成本不少，再加上隨著廣東等地的港口逐漸開放，和福建貿易的必要性也日益降低。

不是說臺灣地理位置好，為什麼清廷還要考慮這麼多？

嗯，或許是因為對臺灣掌握的資訊不多，又要耗費許多金錢才能治理啊！

　　在無貿易利益可圖的狀況下，施琅的態度也一百八十度大轉變，從「放棄經營臺灣」轉為「極力贊成納入清帝國版圖」。他特別寫了〈恭陳臺灣棄留利害疏〉給康熙皇帝，詳細介紹占領臺灣能獲取哪些物產與相關的利益得失，而且將臺灣納入版圖，才能鞏固清帝國東南沿海的海防，根除陳年已久的海寇問題。雖然康熙皇帝對於臺灣是否納入版圖並不積極，他甚至曾說過：「海賊乃疥癬之疾，臺灣僅彈丸之地。得之無所加，不得無所損。」意思就是像臺灣這樣的小小島嶼，拿不拿無所謂。不過，經過朝廷大臣們多次爭論後，清帝國最終在 1684 年將臺灣納入版圖，也讓臺灣的命運有了新的開展。

　　至於攻臺有功的施琅，清廷當然也不會虧待他，不僅賜給他「靖海侯」，而且這個爵位可以世襲，更賞賜給他臺灣可觀的土地。這些土地後續招佃開墾，被稱為「施侯租」。

　　根據日治初期臺灣總督府的土地調查紀錄，施琅在嘉義地區約有 209 甲地，臺南地區約有 1,576 甲地，高雄地區約有 1,200 甲地，因此租金收入相當可觀。由此可見，改變立場的施琅雖然失去了獨占海外商業利益的機會，卻賺取了大把的土地租金收入，或許這也是施琅最終如此賣命建議將臺灣納入清帝國版圖的原因之一！

消失的平埔原住民？

　　清帝國統治臺灣後，原本勢力強大的平埔原住民逐漸式微，有的平埔社移往山區，有的則和當地閩、粵人融合。其中岸裡社人甚至還接受基督教信仰、集體受洗，平埔人慢慢在人群中被遺忘。

　　如果沒有日治時期進行的戶口調查，將平埔人戶口表的種族欄註記為「熟」，代表是熟蕃，否則我們將更難找到這些平埔原住民的下落了。

　　但是，我們在日常生活中還是偶爾可見平埔文化的影子。例如在臺南部分地區，至今遺留有來自西拉雅族的「阿立祖」信仰。臺中市沙鹿區與大甲區兩個行政區，其地名其實來自「沙轆社」與「大甲西社」兩個平埔社。臺南市玉井區舊稱「礁吧哖」，也是來自平埔社名。另外，臺中大甲鎮瀾宮，寺廟內享祀的祿位有「巧化龍」、「淡眉他灣」、「郡乃蓋厘」等神衹，這些都是平埔人曾經在此地發展的痕跡。

除了種族註記外，吸食鴉片、纏足也都有標示呢！

日治時期的戶口名簿簡直是一部種族研究史吧！

歷史報你知：
明鄭～清帝國時期你不知道的事

· 英國人在與鄭經簽訂的條約中稱鄭經為「臺
  灣國王」。
· 荷蘭人、鄭氏王國統治的範圍並不是
  整個臺灣。
· 明清皇室中只有明朝寧靖王朱術桂來臺
  灣，並居住了十八年。
· 康熙皇帝考慮了十個月，才決定將臺灣納
  入清帝國版圖。

大事紀

1672 年－鄭經與英國東印度公司簽訂通商條
         約。
1683 年－鄭氏王國投降。
1684 年－臺灣納入清帝國版圖，設立臺灣府、
         臺灣縣、鳳山縣、諸羅縣，行政單
         位為一府三縣。
1690 年－施琅受封三等靖海侯。
1721 年－朱一貴事件。
1723 年－雍正皇帝即位，設彰化縣、淡水廳。
1727 年－設置澎湖廳，改為一府四縣二廳。
1787 年－改諸羅縣為嘉義縣。
1747 年－泉州人創建龍山寺，成為泉州人的
         宗教信仰中心。
1786 年－清治時期最大規模反清運動：林爽
         文事件。

歷史故事延伸影音 ▶

Taiwan Bar -【臺灣世界史第 6 集】
才不跟你們玩呢！傲嬌的中國海禁。

【肆】皇帝來了，變身特別行政區

清帝國取得臺灣後,最初是採取隔離政策,
希望能限制漢人的居住範圍,以便管理。
但對於漢人而言,那些「界外」肥沃的土地,
才是他們遠離家鄉來到臺灣的最大動力。
究竟他們會因此和居住在「界外」的原住民發生什麼衝突呢?

臺中岸裡大社聚落的水圳汴頭，
清治時期曾有漢人建造水圳，以水資源和平埔人交換土地。

　　納入清帝國的版圖後，臺灣又出現了什麼變化呢？其實，對原來就居住在臺灣島上的人來說，這不過是數十年間第二次「政權輪替」。清帝國治理臺灣初期，也只將臺灣視為一個特別行政區，有許多不同於內地的規定。像是「渡臺禁令」規定禁止移民攜帶家眷前往臺灣；來臺的官員只有三年任期，期滿必須立刻回到中國；軍隊也會定期調動駐點。

　　另外，清帝國也要求一部分來臺的漢人回到原本的家鄉，尤其是無妻、無工作的漢人更被優先遣返。即使是可以留在臺灣的人，也必須先向當地官員登記。根據統計，在鄭氏王朝滅亡前夕，臺灣島上的漢人大約有十二萬人，在歷經遷居管制後，大約只剩下八萬人。

治臺首部曲：管控移民生活區域

　　1684 年 4 月，臺灣成立「一府三縣」，正式納入清帝國版圖。在康熙皇帝要求下，在臺灣的官員嚴格實施「封禁」政策，要求到臺灣開墾的漢人必須受到管制，並區隔漢人與原住民的生活區域。如此一來，就能把漢人控制在官府可以管理的範圍內，讓官府可以有效掌控人民。

　　不過，隨著十八世紀東南亞貿易逐漸興盛，受海運影響，人民可能因為工作而移居遷徙，因此沿海居民的移動越來越難掌握，因此清朝官府其實也很難有效限制漢人進入臺灣。加上清帝國又不斷調整行政區規劃與兵力配置，直到 1887 年建省時，臺灣已從原本的「一府三縣」變成「一道三府十一縣三廳一直隸州」的規模，行政兵力和機關不斷調整也讓移民的管理越來越難以確實執行。

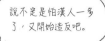

（為什麼清帝國要這樣管制臺灣人民和官兵啊？）

（說不定是怕漢人一多了，又開始造反吧。）

原漢關係改變

當時中國沿海的居民生活艱辛，許多人對臺灣這塊新天地滿懷希望，即使有嚴格的「渡臺禁令」，還是有非常多的漢人願意冒險橫渡黑水溝，偷渡來臺。他們獨自一人面對人生地不熟的新環境，所以容易和一樣來自故鄉的同伴結黨，共同抵抗各種的衝突和壓榨。

1721 年，人稱「鴨母王」的漢人領袖朱一貴號召起義，起因就是移民來臺灣的漢人不滿清帝國政府高壓管理而叛變。朱一貴更率軍攻下臺南府城，自立為「中興王」，這場叛變一直到 1723 年才平定。

這一次的民間武力衝突也成為清朝政府鬆綁移民政策的契機。在官員的支持下，漢人居住地逐漸向平埔社的居住地擴張。例如，在臺灣中部，原本歸化清朝官府的岸裡社族人擁有許多土地，不過在大甲西社叛亂之後，岸裡社部落領袖土目與漢人簽訂契約，由漢人建造水圳，而平埔原住民提供土地作為交換，以獲取灌溉水源。這所謂的「割地換水」，看似對雙方都有利的協議，卻是平埔原住民流失土地的起點。

除此之外，許多漢人更自行到約定範圍以外的地方開墾，甚至侵占平埔原住民的土地，導致漢人和原住民衝突越來越激烈。

治臺政策二部曲：劃定番民界線

　　由於原漢之間的衝突不斷，讓清廷不得不在 1737 年採用新規定，希望能清楚界定出不同族群的居住範圍，並逐漸建構出一個漢人居住於最外側，中間地區屬於平埔原住民，最內側則是高山原住民的居住範圍，並決定嚴厲懲罰越界漢人。

　　1760 年，官府在原漢交界處設立土堆（俗稱「土牛」），並加上一條土溝，稱為「土牛溝」。當時的地圖常以紅線標示設置土牛溝的延伸區域，除了土牛紅線外，1784 年又加了紫線番界。除此之外，清廷也設立了臺灣府「北路理番」同知官員，專門處理原住民與漢人開墾糾紛，甚至在部分地區還分派平埔原住民駐守隘口。雖然官府祭出重罰，但是仍舊無法阻擋漢人的越界，他們的土地不斷流失，因此有越來越多的平埔原住民也被迫遠離原本的居住地生活。

原漢貿易關係建立

　　在原住民的治理政策上，當時清政府將原住民區分為「生番」、「熟番」與「化番」。這個分類主要是以「是否繳納稅金」作為判別標準。熟番是指有繳稅、有剃髮、留滿人的辮子髮型（又稱為薙髮），以及有提供勞動義務的原住民；化番則是除了繳納稅金外，沒有其他義務的原住民；生番則是指其他不繳稅金，而且未薙髮的原住民族群。根據《諸羅縣志》記載，當時熟番的稅賦是諸羅縣（今日嘉義縣內）五大稅收之一，可想而知，原住民的稅金貢獻也是當時重要的官府資金來源。

　　不過，其實清帝國治理臺灣之後，對原住民的稅金管理是沿用鄭氏王國時代制度，這種贌社制度其實從荷蘭時期就開始了，由政府委託特定商人處理這些原住民社的稅賦徵收。在清帝國治理初期也繼承了這個系統，並降低了原住民的稅賦金額，一樣由官方指定漢人為承包商，代為向原住民收稅，這些商人被稱為「社商」或「頭家」。這樣的包稅制度，創造了漢人商人有機會「上下其手」的空間。因為這些漢人頭家除了向原住民收稅外，也擁有向原住民購買商品或販售物品的獨占權，長久下來，受到剝削的原住民心生不滿，也讓原漢衝突日益嚴重。

從稅金、勞務和土地……
原住民就這樣一點一滴
被剝削！

難道漢人都不擔心
平埔族人絕地大反
攻嗎？

「頭家」到哪個時
代都一樣啦！實在
太可惡了！

消失的番頭家

　　除了稅收的問題，更多原漢衝突發生在土地開墾上。因為漢人移民沒有土地，必須向當地地主承租土地。控制土地的「大租戶」，本身並不負責耕作，居住地點可能離土地相當遙遠，大多是招募農民耕作，由「小租戶」負責實際土地的開墾，所以「一田多主」的情況十分普遍。

　　由於小租戶是真正在第一線負責管理開墾的人，需要自己承擔各種開墾時的危險，還有不知道是否能豐收的經濟風險，所以通常大租戶只會向小租戶每年定期收取為數不多的租金。不過，經由多年的開墾後，站穩腳步的小租戶搖身一變，成為「二房東」，吆喝更多農民一起加入開墾，並向這些新開墾的農民收取更多的租金，卻仍繳交少量租金給大租戶。到頭來，小租戶反而成為實際的獲益者，所以才出現「大租賤、小租貴」的說法。

這種「一田二主」或「一田多主」的情況，也發生在平埔原住民身上。當擁有大量土地的平埔地主本身無法進行耕作，只能將土地交由小租戶的漢人開墾，就稱為「番業漢佃」。儘管還是個能按時收田賦的「番頭家」，實際上無法得到更多利益。

漸漸的，漢人小租戶能夠創造越來越多財富，原來的番頭家卻陷入經濟困境。後來貨幣交易的文化傳入平埔社內，必須使用貨幣才能買到更多需要的東西，也讓番頭家們的處境越來越辛苦。為了一時溫飽，番頭家只好將土地典當給漢人。長期下來，平埔原住民們擁有的土地流失情況也越來越嚴重，「番頭家」最後終於被淘汰。

原住民起而反抗

漢人的逐步剝削引發了各種原住民的反抗事件，在十七世紀末期到十八世紀初期，臺灣從南到北都有原住民叛亂。最嚴重一次反抗活動發生在1731 年年底，當時大甲西社的原住民聯合鄰近各社，一起攻擊當時管轄北臺灣的淡水廳淡水同知張弘章，這次的反抗事件一直延續到 1733 年才完全平定。

不過，也在這次的衝突之後，清朝政府終於決定調整對原住民管理政策。除在新竹增加派駐的軍隊外，同時也再降低原住民稅金負擔，並加強對他們的教育與文化灌輸。後來，官員甚至要求已經歸化清帝國政府的平埔社人民薙髮，並由官方賜姓潘、蠻、陳、劉、戴、李、王、錢等姓氏，前面提到的大甲西社，就是最早改為漢姓的家族。這也造成有一些平埔原住民和漢人的地位產生變化，甚至後來有些平埔社人擔任通事，地位甚至比漢人高。

不過，在清帝國治理期間，平埔原住民與漢人的關係，並不是只有對立，大部分時間，他們在清廷設定的邊界上，以互惠方式獲取對雙方最有利的局面。只是隨著時間演進，小租戶權益日漸增加，大租戶卻難以獲得相對報酬，導致番頭家生活陷入困境，也漸漸失去自己的土地。加上清廷一連串刻意賜姓和融合的治理手段，平埔原住民的文化與集體記憶也慢慢的消失……

原住民分類方式改變

　　我們現在所熟悉的「阿美族」、「泰雅族」等原住民分類，是在日治時期人類學家在進行田野調查時所進行的學術分類，這個分類方式從戰後仍持續沿用到現在。

　　不過在清帝國治理時期，原住民的族群單位是以「社」來稱呼，例如岸裡社、大甲西社、阿里史社等。「社」與「族」的差異，反映了清帝國和日本兩個政權對臺灣原住民有不一樣的統治策略。清帝國僅以地理位置來區隔原住民，而日本當時因為受到剛傳入的「人類學」影響，認為想要治理一個區域，必須先了解該地區的人民習慣、風俗，所以在深入調查後，從各族群的文化上找到共通點和相異處，進而發現不同族群的分布。

　　其中在清帝國時期十分活躍的岸裡社原住民，在日治時期被稱為「巴宰族（Pazéh）」。巴宰族語在 2010 年還被聯合國教科文組織列為世界上最瀕危的 18 種語言之一。

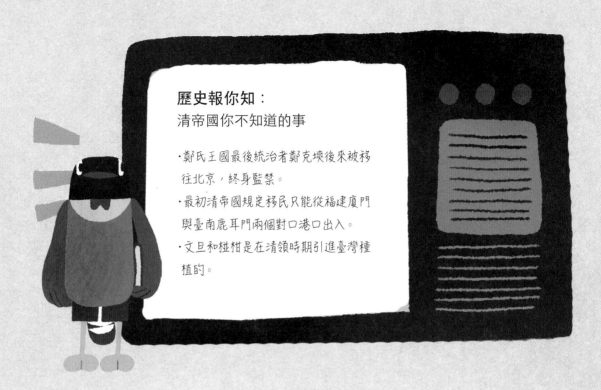

歷史報你知：
清帝國你不知道的事

· 鄭氏王國最後統治者鄭克塽後來被移往北京，終身監禁。
· 最初清帝國規定移民只能從福建廈門與臺南鹿耳門兩個對口港口出入。
· 文旦和椪柑是在清領時期引進臺灣種植的。

大事紀

1789 年－法國大革命。
1797 年－吳沙至宜蘭開墾。
1812 年－增設噶瑪蘭廳，改為一府四縣三廳。
1841 年－鴉片戰爭英國軍隊攻臺。
1858 年－簽訂天津條約，臺灣開始對外通商。
1861-1864 年－美國南北戰爭。
1865 年－馬雅各在臺灣府城開辦看西街醫館，是全臺灣第一家西式醫院。
1866-1869 年－日本明治維新。
1872 年－長老教會牧師馬偕抵淡水醫療、傳教。
1874 年－牡丹社事件，日本犯臺。沈葆楨來臺。

歷史故事延伸影音

Taiwan Bar - 【臺灣世界史第 5 集】
清潮來襲！那個原住民被稱為「番」的時代

Taiwan Bar - 【小單元第 1.5 集】
摩登原住民

【伍】臺灣重回世界舞臺

臺灣進入清帝國版圖初期，
規定西洋商人只可以在廣東通商，
加上渡臺禁令，臺灣因此暫別世界貿易的舞臺。
直到歐洲國家帶著厲害的武器前來，
清帝國才又開放臺灣港口，
也讓臺灣重新回到世界舞臺。

臺北淡水牛津學堂，為馬偕博士在1882年創立西式現代化學校。

過去由於地理位置的優勢，臺灣的國際貿易非常活躍，但是納入清帝國版圖一份子後，卻因為海禁的政策，被迫對外隔絕，只能困守在清帝國內貿易。

　　到了十九世紀中期，這個情況出現了轉機──許多歐洲國家帶著厲害的武器來攻打清帝國，在苦吞了一連串的敗仗後，被看穿只是一隻紙老虎的清帝國只好修訂鎖國政策，開放臺灣港口，這也使得臺灣再度重回世界歷史的舞臺，從此邁入近代化的起點。

　　不過，究竟從什麼時候開始，西方國家又再次來到遙遠的臺灣進行貿易呢？西方國家又為什麼大老遠跑來與清帝國開戰呢？

　　一切的開端要從 1840 年的「鴉片戰爭」說起……

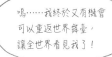

嗚……我終於又有機會可以重返世界舞臺，讓全世界看見我了！

 ## 一切都是「鴉片」惹的禍

　　鴉片是由罌粟花提煉而成，具有止痛效果，如果長期吸食的話，會讓人產生幻覺，很容易成癮。它從漢朝時期就傳入中國，一開始是被當成醫藥使用。

　　到了荷西時期，荷蘭人從臺灣把西方的菸斗和菸葉進口到中國，但這段期間，因為數量較少，只有少數達官顯要可以使用鴉片，不至於有太大的危害。

　　但到了後來，漸漸有西方商人開始利用走私方式進口，市面上流通的鴉片越來越多，所以也有越來越多民眾開始染上煙癮。雖然在 1729 年，清帝國雍正皇帝早已經頒布過禁菸令，但是成效不彰，因為鴉片帶來的利益

實在太大了，所以外國商人寧願冒險走私，也一定要偷運鴉片到中國販賣。

直到道光皇帝的年代，鴉片的危害更加嚴重，當時走私的數量實在太多了，導致中國的白銀大量流出，國內的銀元價格大漲，而且吸食鴉片的人太多了，使得人民無心工作，各行各業都非常蕭條。清帝國朝廷看見這樣的景況，不得不開始認真面對鴉片帶來的問題。

1838 年底，道光皇帝終於頒布《欽定嚴禁鴉片煙條例》，命令欽差大臣林則徐處理鴉片的問題。林則徐除了向各國商人說明販賣鴉片已經觸犯清帝國的法律，還要求他們限期繳交鴉片。不過，由於中國官方過去常是說一套做一套，容易買通，少有強硬的治理手段，所以一開始英國商人對林則徐的三令五申不以為意，以為這次仍然可以敷衍了事。

沒想到，林則徐不是省油的燈，他以強硬的手段，迫使英國商行終於相信「這次中國是認真的！」，不得不上繳了約兩萬箱的鴉片。1839 年六月林則徐在請示道光皇帝後，在虎門將這些上繳的鴉片全數銷毀，但是這也為日後鴉片戰爭埋下了導火線。

■林則徐虎門銷煙圖

林則徐簡直就是清朝的反毒大使耶！

不過他是怎麼銷毀的啊？如果是用燒的，不會造成空氣污染嗎？

鴉片戰爭的慘敗

　　雖然林則徐強硬的取締與銷毀鴉片，但鴉片的生意並沒有因為這樣就消失匿跡，他要求國外商人必須簽下不帶鴉片來中國的保證，不過英國商人卻強硬拒絕，後來還發生了英國人毆打中國民眾造成傷亡，卻不肯交出犯人的事件，這些衝突都讓中英關係更加惡化，最後在 1840 年英國終於決定出兵攻打中國，這就是「鴉片戰爭」的開端。

　　鴉片戰爭整整打了兩年，由於清朝的官兵平時訓練不夠，加上英國的船堅砲利大大優於當時清帝國的軍備，因此在英國軍隊攻打至南京後，清帝國最後不得不簽訂了近代歷史上第一份不平等條約——《南京條約》，割讓香港，同時也開放沿海廣州等港口。

　　這次的條約中雖然並未對臺灣有什麼重大影響，也沒有因為這次簽訂的條約而開放臺灣的貿易港口。然而在鴉片戰爭的迫使下，清帝國陸續遭遇了多次對外戰爭的失敗，也簽訂了更多不平等條約，讓身為清帝國一分子的臺灣，從此也有了不一樣的命運。

臺灣重新與國際接軌

　　鴉片戰爭慘敗後，新上任的咸豐皇帝和中國的官員對於外國人都極為排斥，但是食髓知味的西方國家卻非常希望中國能夠開放更多的港埠，其中最積極的就是英國和法國了。後來又陸續發生清帝國官員到英國商船亞羅號上搜捕海盜，以及法籍神父被中國民眾殺死的事件，終於讓兩國決定聯手攻打中國。

英法聯軍以及美俄軍艦一同北上天津，並占領砲臺，清帝國最後在英、法、美、俄國公使脅迫下，迫不得已只好與這四個國家簽訂《天津條約》，開放更多港口對外貿易，其中也包含了臺灣的淡水等港口與世界各國進行貿易交流，在世界舞臺沉寂已久的臺灣終於又有機會重新與國際接軌。

■中國分別與俄國、美國、英國、法國簽訂天津條約，圖片為中、英代表。

經過了一百多年，臺灣終於可以重新回到國際舞臺了。

也太久了吧！這些皇帝到底有沒有認真為臺灣的人民著想啊？

亞羅船事件

　　1856 年 10 月 8 日，中國官員登上一艘停泊的船隻，並意外發現原來執照已經過期，於是官員就扣留了涉嫌走私的水手。當時英國籍船長並不在船上，但事後船長卻一口咬定船上的國旗遭到撕毀，要求中國官員道歉，並釋放水手。

　　不過中國官員當然不願意為此事道歉，英方因此懷恨在心。雪上加霜的是，當時的中國居民在英國軍隊離去後，竟然放火焚毀對外貿易特區廣東十三行，導致西方商人的房子幾乎全毀。所以最後英國軍隊出兵攻入廣州城內，而「亞羅船事件」也成為引發英法聯軍的導火線。

不在船上的船長有千里眼啊？居然會看到國旗被撕毀……

當時的西方國家想要攻打中國，總是要找很多理由啊！

開港通商後的臺灣

　　當臺灣的雞籠（現今的基隆）、滬尾（現今的淡水）、安平、打狗（現今高雄）等港口陸續開放成為對外國的通商口岸後，外國商人開始透過這些港口進出臺灣，同時也設置洋行，許多臺灣本地的仕紳也藉這個機會趁勢崛起，掌握貿易生意，累積財富與勢力。這些仕紳的影響力至今依然存在，如板橋林家仍在臺灣商業界十分活躍。

　　另外，由於臺灣的地形、土質、氣候條件，在英國商人從福建引進茶葉種植後，也讓臺灣從原本以「米、糖」出口改為「茶、糖、樟腦」出口，這三種作物也成為清代治理臺灣末期最重要的經濟作物，從 1868 年到 1895 年間，這三種商品出口總值，就占了臺灣出口總值的百分之九十四，

其中更以茶葉為最大宗。當時在大稻埕聚集不少茶行，門口坐滿了揀茶的工人；甚至還曾有商人出口兩大船的茶葉到美國紐約，讓許多歐美國家對「臺灣茶」更有不少好評。

　　加上因為北部天氣更適合種植茶葉與樟腦，在清朝後期，臺灣的經濟重心從南部轉移到北部，主要的對外港口也從臺南安平轉移到了北部的淡水，由此可見北臺灣經濟實力的崛起，從此政治中心也跟著經濟重心一起北移。

西方傳教士的出現

　　除了政治和經濟的影響，港口開放後，傳教士也能夠自由進出臺灣。知名的馬偕、馬雅各等傳教士都是在這個時期來到臺灣，不僅傳播宗教，同時也把西方文化帶進傳統的臺灣社會。

　　傳教士引進了西方的教育，像是臺南長老教中學（現今長榮中學）、臺南新樓長老教女學校、淡水女學堂、淡水牛津學堂等教會學校都是由西方的傳教士所建立的，日後更為臺灣帶來深遠的影響。

　　尤其是女子教育在傳統臺灣幾乎是不可能發生的。如果沒有這些西式女學堂的設立，可能也不會有人在意當時臺灣女性的受教權。

　　除了教育之外，部分傳教士也為臺灣帶來先進的西方醫療，像是學過解剖生理學的長老教會牧師馬偕，為了傳教還替臺灣人民拔牙看診。

　　臺灣這一次重新返回世界舞臺，除了更多樣的經濟作物得以出口，讓歐美國家更認識臺灣。同時也讓西方文化的大量湧入臺灣，從此也讓臺灣人民得以真正接觸教育、醫療、文化思想等各式各樣近代新事物。

其實我不是醫生，可是大家都需要拔牙，我只好……

沒關係啦，只要拔牙不會痛就好。

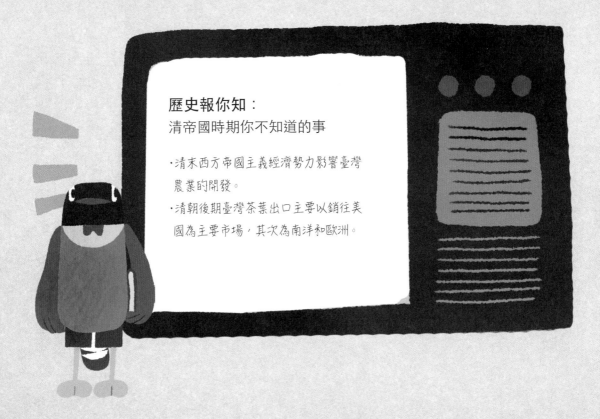

歷史報你知：
清帝國時期你不知道的事

· 清末西方帝國主義經濟勢力影響臺灣
  農業的開發。
· 清朝後期臺灣茶葉出口主要以銷往美
  國為主要市場，其次為南洋和歐洲。

大事紀

1875 年－增設臺北府，改為二府八縣四廳。
1877 年－臺灣設立第一條電報線路。
1882 年－馬偕成立牛津學堂。
1884 年－中法戰爭，法軍進攻臺灣。
1885 年－臺灣建省，劉銘傳為首任巡撫。
1886 年－第一輛汽車在德國誕生了。
1893 年－臺灣第一條鐵路完成（基隆至新竹）。
1894 年－甲午戰爭。
1895 年－簽訂馬關條約，臺灣割讓給日本。
1896 年－第一屆現代奧運於雅典舉行。

歷史故事延伸影音 ▶

Taiwan Bar -【小單元第 0.5 集】
鴉片

【陸】第一次自由選擇國籍的機會來了

當西方國家開始攻打中國，
連帶讓臺灣也開放港口，走向新的發展。
1895 年中日簽署的《馬關條約》，
更決定了臺灣半個世紀的命運。
為什麼日本非得要臺灣這個邊陲小島不可呢？
原來，這和日本的野心有關⋯⋯

因為甲午戰爭戰敗，1895 年 4 月 17 日，清帝國全權大臣李鴻章在日本山口縣內的港口「下關」，代表清廷與日本首相伊藤博文簽訂《馬關條約》。這兩位國家代表相約在日本第一間領有料理河豚執照的餐館「春帆樓」，而這一場飯局也從此改變了臺灣的命運。

《馬關條約》中，清帝國將遼東半島、臺灣全島及所有附屬島嶼、澎湖群島全部送給日本。同樣也是島國的日本為什麼處心積慮想奪下這幾個島嶼呢？臺灣成為日本領土後，又會為臺灣人民的命運帶來什麼改變呢？

改頭換面的日本

　　時間倒回十九世紀中期，當西方國家紛紛前往亞洲地區，不斷的攻城掠地，日本和中國一樣，也在西方的武力威脅下，簽訂了許多不平等條約，也結束了長達 200 多年的「鎖國時期」。

　　1868 年，年僅十六歲的明治天皇即位，他一上任立即將那些西方強國當作榜樣，與一群年輕的官員進行一場改造國家的大變革，在內政、外交、軍事與社會等方面，努力向西方學習，這是日本近代史上最重要的「明治維新」時期（1868-1912）。就這樣，在明治天皇的帶領下，日本逐漸脫胎換骨，很快的便成為東亞最現代化的國家。

　　不過，變強的日本卻越來越看不起國力走下坡的清帝國，認為它明明只是一隻紙老虎，卻還自詡為是東亞地區的老大，要求周圍的小國家必須

■江華條約，是朝鮮第一個不平等條約。

有歷史學者認為，清帝國太大了，改革的消息不像島國日本那麼迅速。

中日兩國都因為列強來襲，開始提倡國家變革，但結果好像很不一樣呢！

按時朝貢，以維持友好關係。為了要證明自己比較強，日本首先瞄準離他們僅一海之隔的朝鮮（今日的韓國）。他們學西方列強侵略弱國，在1876年就讓朝鮮簽下了不平等條約《江華條約》，對日本開放通商、免除關稅，並承認朝鮮是一個獨立的國家，日本享有領事裁判權。

再加上後來韓國發生農民起義（史稱東學黨之亂），日本因為清帝國派兵進駐朝鮮，所以也派兵前往朝鮮，圍攻朝鮮宮廷。這下子可惹惱了中國，清帝國和日本在朝鮮發生衝突，開啟了中日甲午戰爭。

這場戰爭對日本來說有重大的意義，因為這是日本明治維新以後的第一場大規模對外戰爭，如果能贏得勝利，可以讓日本人民建立強大的民族自信心！至於身為東亞地區老大哥的中國呢？從1842年鴉片戰爭開始，便不斷打敗仗，被迫簽約求和與割地賠款，就算曾經有過發奮圖強的「自強運動」（1861-1894），但還是遠遠不敵來勢洶洶的日本。在「甲午戰爭」中，中國還是輸得很慘。不只是陸上的清軍在朝鮮的牙山、平壤一帶兵敗如山倒，連號稱亞洲第一的「北洋艦隊」，也在黃海上被日本擊垮。

臺灣人的命運

　　由於甲午戰爭的失敗，簽定的《馬關條約》重創清帝國經濟，除了要賠給日本 2.3 億兩白銀，日本更積極爭取臺灣等土地，以及清帝國內地貿易優惠和通商港口的開放。

　　統治臺灣 200 多年的清帝國，雖然「統治」了臺灣，在管理上卻多讓人民自己先出力開墾，官方再去設置行政單位，少有清廷出錢出力的重要建設。或許對清帝國而言，遠在南方外海的臺灣，治理起來挺麻煩的。直到後來有外國人來攻打臺灣，一次是 1874 年日本人引起的「牡丹社事件」，另一次是 1884 年法國出兵基隆，這兩次戰役讓清廷察覺外國對臺灣有野心，這才開始認真治理臺灣。不過對清帝國而言，本土上各種內憂外患都比臺灣這個位於南方邊陲的小島更加重要，這個小島其實沒什麼好掛心，失去也不覺得可惜。

中國，日本，要選哪一邊？

　　雖然《馬關條約》是不平等條約，但是裡頭卻有一個相當人性化的條文，那就是第五條有關「住民去就」規定。條約中提到，從 1895 年 5 月 8 日到 1897 年 5 月 7 日這兩年內，臺灣居民可以自由決定要不要留在臺灣，如果不想成為日本帝國的一分子，可以把財產全部賣掉後離開。

　　條約簽訂生效後兩年內如果還沒有離開，就視為日本臣民。這是歷史上臺灣人民第一次擁有主動權，可以自由選擇自己的國籍，從今天的角度來看，當時的日本政府還滿開明的。

　　不過，後來到底有多少人離開臺灣呢？根據歷史學家的研究，當時大約有六千人離開，只占臺灣人口的 0.25% 而已，這些人多是因為在中國擁有財產，才選擇回到中國。其他留下來的人，從此成為「大日本帝國」的人民。

臺灣的抗日戰爭

　　雖然有「住民去就」條款，但並非所有的人民都有能力回中國，或者有其他原因，必須留在臺灣。1895 年 5 月 8 日《馬關條約》生效後，反對被日本統治的仕紳在 5 月 25 日成立「臺灣民主國」，並由曾經擔任過臺灣巡撫的唐景崧做大總統。

　　眼看著接收臺灣的事情可能會不太順利，日本皇族北白川宮能久親王親自領軍，5 月 29 日從臺灣東北角的澳底鹽寮登陸。當時的大總統唐景崧一聽到日軍已經上岸後便逃到廈門，連副總統丘逢甲也逃之夭夭。

　　群龍無首的狀況下，留在臺灣的軍隊也亂了陣腳，居然開始上演「官兵變強盜」，四處搶奪錢財。一群比較有社會地位的臺灣商人，深怕遭受波及，趕緊拜託在臺北做生意的洋人，請他們代表臺灣人向日軍投降。

　　1895 年 6 月 14 日，日軍終於順利進入臺北城，然後開始向南進攻。從桃竹苗一路攻到彰化，頑強抵抗的臺灣民兵，大多沒受過正規的軍事訓練，手上的兵器只有刀和棍，當然抵抗不了日本軍隊的洋槍大砲。到了 10 月，日軍攻進臺南，因為主帥能久親王陣亡，日軍為了要復仇，展開血腥大屠殺，當時「臺灣民主國」的第二任大總統劉永福聽到消息後，反應跟前任大總統一樣，也是馬上逃回中國。11 月，日軍攻破屏東六堆，這時臺灣全島大致底定，日本統治臺灣的五十年歷史，就此揭開序幕。

臺灣民主國

　　1895 年 4 月簽訂馬關條約，臺灣人民得知日本即將統治臺灣後，許多人非常不安，所以仕紳代表丘逢甲提議成立「臺灣民主國」，表明臺灣將獨立，不受日本統治。一開始他們以臺北為基地，由原本擔任清帝國臺灣巡撫唐景崧為大總統，丘逢甲則擔任副總統。不過，擔任民主國的總統、副總統的人，卻沒和臺灣奮戰到底。遺留下來的民主國成員於是改以臺南為基地，另外擁護劉永福為第二任大總統。只是當日本逐步擊潰臺灣的抗日民兵時，第二任大總統依舊逃回中國。於是臺灣歷史上第一個共和國家，僅維持了 150 天就走入歷史（成立於 1895 年 5 月 25 日，結束於同年 10 月 19 日）。

■ 臺灣民主國為了籌措軍餉抵抗日本，因此發行郵票。中間的老虎圖案與臺灣民主國國旗的圖案一樣，都是以老虎作為標示。

郵票左邊的「士担帋」是什麼意思啊？

你唸快一點，像不像 Stamp（郵票）啊？

歷史報你知：
清帝國時期你不知道的事

· 曾經出現短暫成立於臺灣的共和國政體。
· 馬關條約的賠償金分配，其中有 3.3% 列
　為臺灣經費補充金。
· 臺灣是日本帝國的第一個殖民地。
· 引進新的稻米品種「蓬萊米」，加上採
　用化學肥料和增加灌溉設施，因此稻米產
　量大增。

大事紀

1895 年－臺灣民主國成立，唐景崧為第一任大總統。
1895 年－設立臺灣總督府，首任總督為樺山資紀。
　　　　　人類學家伊能嘉矩來臺研究原住民。
1898 年－第四任總督兒玉源太郎、民政長官後藤新平就任。
1898 年－5 月，開始發行《臺灣日日新報》，是日治時期臺灣發行量
　　　　　最大的報紙。
1899 年－3 月，募集臺灣事業公債。
1905 年－實施第一次戶口普查，當時人口約三百萬人。
1908 年－縱貫鐵路全線通車。
1914 年－第一次世界大戰開始（1918 年結束）。
1919 年－五四運動。
1921 年－中國共產黨成立。

如果你是清帝國皇帝，你會想要怎麼統治臺灣呢？

【柒】臺灣大動脈的建設完成

臺灣島國的交通骨幹主要以鐵道為主，
它就像是臺灣的動脈，貫穿全島。
清帝國時期，劉銘傳修築了第一條鐵路，
但是我們現在所乘坐的火車鐵道卻與清代時大不相同，
主要沿用日治時期的鐵道路線，
究竟日本人是怎麼規劃鐵路，帶給我們如此便利的交通運輸呢？

臺南火車站,建於1936年。

臺灣是個多山的島國，加上有很多東西向的河流，所以縱貫全島的運輸非常重要。在過去一百多年來走向現代化發展的過程中，鐵路無疑承擔了相當重要的任務。臺灣的鐵路發展始於清帝國統治的後期，當時的臺灣巡撫劉銘傳開始修築鐵路，但由於經費問題，因此最後只完成基隆到新竹路段。不過，為什麼當日本政府來到臺灣時，卻決定打掉重練，重新建設鐵道路線呢？

　　就讓我們一起來回顧這段超精彩的臺灣鐵道發展史，看看這項重要的建設是怎麼一點一滴被打造出來的吧！

 ## 臺灣鐵路的起點

　　清帝國後期，西方列強入侵中國，也有一些國家十分覬覦臺灣。臺灣建省後，第一任臺灣巡撫劉銘傳不斷的奏請皇帝，必須在臺灣興建鐵路。他告訴清帝國皇帝，臺灣是帝國版圖上東南地區的屏障，加上建省後必須發展臺灣的商業，如果能興建一條縱貫基隆到臺南的鐵路，一定有助於招徠工商。

得回中國了，可是縱貫鐵路夢想還沒完成啊！

因此，清帝國為了國防和經濟考量，開始仔細考量在臺灣修築鐵路。不過因為技術限制，劉銘傳找來德國和英國的設計師設計鐵路，並由中國官兵和工人建造，以節省經費。至於路線規劃方面，則欠缺完整的考量，甚至還會接受富豪賄賂，隨意更改路線，只為了避開他們的家族墓地或私有地。

這條鐵路從 1887 年開始興建，直到 1891 年的 10 月基隆到臺北區段才完工。雖然說第一條鐵路是劉銘傳所建，但鐵路完工前，劉銘傳早已離開臺灣，臺北到新竹段則由後來的臺灣巡撫邵友濂繼續接手完成。而且因為缺少經費，最終這條鐵路只有興建到新竹路段。

只是這條品質不良的鐵路很難發揮預期的功能，尤其是臺北至新竹路段，沒有任何號誌，乘客想上車，可以隨處招手讓司機停車；也因為沒有月臺，想下車的人還必須自己跳下車。更誇張的是，每天只開六班次（後來更調整為四班次），加上可以隨時招手搭車，所以火車時刻表也不準確。

天啊！火車上居然載人也載雞跟豬！

美籍記者禮密臣曾報導說當時的車，走沒幾哩就搖搖晃晃的，很可怕呢。

另一方面，鐵路建造時因為沒有考慮地質，導致大雨一來，地基容易流失；木架橋梁也經常應聲倒塌……總之，就是一條難使用的鐵路，最後只能夠當作乘客運輸用途。

 ## 軍用鐵路興建與縱貫線調查

品質這麼糟糕的鐵路當然讓當時國力強盛的日本看不上眼，再加上清帝國修築鐵路的路線對於日本想積極在臺灣發展的產業幫助不大，於是日本政府決定打掉重練，重新為臺灣規劃修築現代化的鐵路。

除了經濟上的考量，日治初期，臺灣各地還有很多反抗的人民，當日軍越往南，戰況越為激烈。因此，興建鐵路也能幫助日本政府可以更快掌握臺灣整座島嶼情勢，也能方便管理，加速各種運輸的調配工作。

日本政府首任臺灣總督樺山資紀來到臺灣時，先找來臨時鐵道隊修築了一條軍用鐵路，用來輸送軍隊及軍需物資。不過，基於統治上的考量及國防上的需求，樺山資紀也同時向日本政府報告興建縱貫鐵路的需求，而日本政府二話不說就同意了，並在 1896 年 3 月提撥約 8 萬日圓經費，讓臺灣總督府開始進行縱貫線的土地調查。

不過這個時期調查的路線大多為軍事考量，以近山的路線為主，並不適合作為經濟開發的鐵路參考，因此後來的日本政府並未採用這個時期所調查的路線。

臺灣鐵道之父的誕生

　　不過第一次調查過後，日本政府並沒有馬上開始建設新的鐵路網，因為當時臺灣的財政收入入不敷出，而且日本國內也實施財政緊縮政策。直到第四任臺灣總督兒玉源太郎上任，並任命後藤新平接任民政長官，開始推動許多積極開發政策，才讓臺灣的經濟狀況開始轉變，最後終於讓日本國會同意撥款，讓臺灣總算能開始大刀闊斧的進行鐵路建設。

　　1899 年，日本政府宣布實施「臺灣事業公債法」，募集到經費後，後藤新平首先就用來興建鐵路，並在四月成立了鐵道部，從日本召集了許多技術官僚。其中有「臺灣鐵道之父」之稱的長谷川謹介，也是這個時期來到臺灣，負責主導臺灣南北縱貫線的建設。他一來到臺灣，便決定重新對縱貫鐵路的路線進行調查。在 1899 年～ 1901 年間，動員了大量的技術人員，對於新的鐵路路線進行調查測量。

　　這次調查的結果是後來鐵路建造的主要依據。它除了改善樺山資紀時期調查多聚焦在近山開發的缺點，並加入經濟貿易的考量來決定新路線經過的地點。在「臺北—新竹」、「新竹—造橋」、「苗栗—臺中」、「臺南—嘉義」等新鐵道路線，都行經許多重要城市的市街、貿易貨物集散地以及農產品的產地。

■臺灣事業公債法部
分內容。

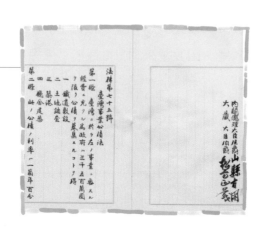

主導鐵路建設的長谷川採「速成延長主義」方針，以快速通車與盡量延長路線為首要目標。這是因為日本政府最希望能藉由鐵路的通車來改善臺灣交通不便的狀況，同時加強統治的便利性以及產業的發展性。因此主要的鐵路興建經費幾乎花在延長路線上，但在車站興建則是能省則省。最後，這條連通全臺灣的縱貫線鐵路不僅整整提早了一年，在 1908 年 4 月完工，而且還額外興建了淡水、鳳山支線，並且擴張了高雄以及基隆車站。最重要的是由於經費的節省運用，完工時還剩下了 120 多萬日圓。

　　這條輕便的縱貫鐵道雖然偶發事故，但對臺灣的意義非常重大，不但促使臺灣西部能更迅速的發展，隨著日本政府統治基礎的穩定，也使得鐵路的功能從統治初期的軍事需求轉為促進經濟發展的「開拓鐵路」，也引領著臺灣的現代化的腳步從清末的緩慢前進變為加速前進。

長谷川謹介是何許人也？

　　有「臺灣鐵道之父」美譽的長谷川謹介出生於 1855 年，他一開始並非從事鐵道相關的工作。當時日本的鐵路工程主要由外國技術人員指導，需要翻譯人員協助溝通，而長谷川謹介曾就讀英語學校，英語能力很好，經常擔任鐵道寮的翻譯，因此有機會可以跟著外國的技術人員學習鐵路的相關技術。

　　後來日本政府為了讓國內鐵路技術能夠自立，不再依賴國外，因此 1877 年在大阪車站設立了「工技生養成所」，長谷川謹介是當時招募的第一期學生。畢業後長谷川謹介開始了許多鐵路建設的工作，後來也擔任過鐵道局出張所所長、鐵道會社課長、鐵道技師長等職務。在後藤新平召集技術官僚時來臺灣，當時長谷川謹介也在受邀行列。

　　長谷川的學生曾表示，當時長谷川之所以願意風塵僕僕的帶領學生來臺灣參與鐵路建設，是因為當時日本鐵道局廢除了建設課，而且中止鐵道會社的工程，因此長谷川的學生一時之間都失業了，為了不讓學生失業，同時又不失是個磨練學生的好時機，因此他才決定帶領著學生們來到臺灣，打造這條影響臺灣深遠的縱貫線鐵路。

　　長谷川來臺灣後擔任「臨時臺灣鐵道敷設部」技師長，規劃並負責鐵道事務，全長 405 公里縱貫線在他的努力下終於完成，除了縮短了南北往來的運輸時間，這條縱貫鐵路也影響著臺灣經濟發展。

■日治時期的臺灣鐵道地圖

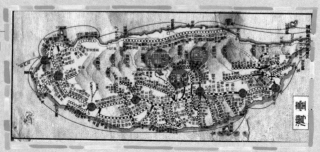

鐵路建設的殖民性

　　日本修築鐵路對於臺灣的現代化及臺灣西部產業發產興起很有幫助，也非常重要。但是日本政府統治臺灣畢竟還是以殖民為目的，獲取利益才是主要經營目的，鐵道興建期間也有許多臺灣人遭受不公平對待。

　　像是鐵路所經之土地，日本政府強迫臺灣人必須無償提供給政府使用；鐵道部則排斥任用臺灣人；經營人力也完全由日本官員所主導，對於本地職員並未積極培育，導致戰後營運出現極大的問題。

　　雖然這條兼具了現代化與殖民性的鐵路就這樣上路了，也帶領臺灣歷史走向新的一頁，但在現代化的方面，或許可以給予肯定的評價，不過壓迫殖民地的事實我們也不能遺忘。

你們看，日治時期就建造的臺中火車站的風格是仿西式文藝復興風格呢！

臺灣現在有多少日治時期遺留下來的火車站啊？

大約是30多座喔！

歷史報你知：
日治時期你不知道的事

· 除了土地調查之外，後藤新平還進行人口調查、原住民調查、舊慣（社會法制、經濟、行政制度）調查。
· 縱貫鐵路通車之後，臺灣總督府出版《臺灣鐵道旅行案內》，介紹鐵路沿線風景名勝與資訊，因而帶動觀光旅行。

大事紀

1915 年－林獻堂創辦臺中州立中學，是第一間專為培育臺籍學生所設立的學校。
1920 年－八田與一建嘉南大圳。
1921 年－中國共產黨成立。
1926 年－陳澄波入選日本帝國美展。
1927 年－南京國民政府成立。
1928 年－設立臺北帝國大學（是臺灣大學前身）。
1928 年－4 月，謝雪紅在上海成立臺灣共產黨。
1930 年－嘉南大圳啟用，改善嘉南平原灌溉，並成為稻米產地。10 月霧社事件。
1936 年－皇民化運動，推行日語。
1937 年－盧溝橋事變，中日戰爭開打。

歷史故事延伸影音 ▶

Taiwan Bar -【臺灣世界史第 1 集】
鬼島現代化！劉銘傳與蔣經國的中間

你覺得鐵路跟船運，哪一種運輸比較方便呢？

【捌】臺灣捲入世界大戰

日本治理臺灣期間，
臺灣總督府進行了許多基礎建設。
不過，隨著日本帝國向外擴張，
作為殖民地的臺灣也別無選擇的被動員，
許多年輕人加入軍隊，前往前線支援，
臺灣也正式捲入了世界大戰的烽火中⋯⋯

1932年12月開幕的林百貨，位於臺南。

1895 年日本政府來臺後，把臺灣視為日本國土的延伸，做了許多建設，像是鋪設鐵道、水利工程、改良農業與發展工業，同時也建立了完善的衛生醫療、教育制度以及戶口普查系統，的確為臺灣的現代化發展奠定了扎實的基礎。不過，為了控制臺灣的人民，日本政府還實施了非常多強化殖民的政策。

 ## 皇民化運動

　　日本統治臺灣時，對於「日本人」與「本島人」（指臺灣人）的治理方式採取差別待遇。日本政府把臺灣人視為次等國民，所以日本人、臺灣人和原住民的孩子必須就讀不同的學校，分別到「小學校」、「公學校」和「蕃童教育所」就讀。連學校使用的教材、設備都有等級差別。不過，雖然臺灣總督府要求臺灣人學習日語，並效法日本人的文化與風俗習慣，希望能把效忠天皇的思想灌輸給臺灣人，但是在臺灣民間社會裡，依舊普遍保有漢人的傳統，包括使用臺語、信奉佛教與道教、祭孔或是宗族祭祀等。

　　直到 1937 年，中日兩國在北京的「盧溝橋」發生武裝衝突（史稱「盧溝橋事變」），開啟長達八年的中日戰爭。中日開戰使得日本對臺灣的統治政策也開始改變，從「差別性的統治」轉變為推行「皇民化運動」。所謂「皇民」是指「日本天皇的子民」——日本希望透過各種思想改造，將臺灣人打造為效忠天皇的子民，以配合日本本土實施的「國民精神總動員」。

　　日本政府開始限制臺灣人使用臺語並改用日語，要求臺灣人必須改信奉日本神道教，去神社參拜等。1940 年起，日本更要求臺灣人改姓名，捨棄原來的姓氏，改成日本姓。對重視宗族、傳承的臺灣人來說，更改自己的姓氏就表示「背祖忘宗」，但在當時的社會氛圍下又不得不照做，內心的煎熬可想而知。

　　為了強化臺灣人的敵（中國）我（日本）意識，學校開始禁止漢文教學，就連報紙上原先存在的「漢文專欄」也取消，就連臺灣傳統歌謠、民俗戲曲表演一律禁止，佛寺與道教宮廟也進行管制。總而言之，日本政府在語言、文化、思想各種層面，竭盡所能想要除去臺灣的漢人文化因子，努力將臺灣人塑造為「皇民」。

被迫加入戰場的臺籍日本兵

既然身為皇民，當日本母國一步步向外擴張，臺灣自然也無條件成為日本「南進」的基地之一。尤其在 1937 年中日戰爭開打以後，日本與中國的衝突正面化，作為殖民地的臺灣也別無選擇的被動員，在人力和各種資源方面支援日本，臺灣從此正式捲入戰火中。

現今社會中所提到的「臺籍日本兵」，指的是二次大戰時，受到日本政府召募或徵召而前往戰地協助日本作戰的臺灣人。中日開戰後，日本軍方需要大量人力協助作戰，於是日本政府開始徵召或召募臺灣人民到中國前線充當「軍伕」或是「軍屬」，運送軍人所需的生活物資、食物和武器彈藥等。日本軍方依據臺灣人的戶籍資料與職業類別，將他們派駐到戰地，協助搭建軍營或是修築碉堡，這些工作繁重且具有生命危險，但是優渥的薪資仍然吸引不少臺灣人前往。

除了在中國的戰事如火如荼的進行著，1941 年 12 月 8 日，日本偷襲了美國夏威夷海軍艦隊的基地「珍珠港」，造成數千名美軍死傷，被激怒的美國因此對日本宣戰，開啟了「太平洋戰爭」的序幕。

為了確保戰爭優勢，日本開始往東南亞進攻，掠奪當地的石油、橡膠與錫礦等戰略資源。但是隨著戰爭規模的擴大與戰線的拉長，迫使日本政府加強動員本國與殖民地的人力與物資；加上日本軍人的急速傷亡，日本不得不開始思考是否徵召「臺灣兵」來補充兵員。

雖然當時日本政府在臺灣實施了殖民統治，也推行了皇民化運動，但是日本政府對於「臺灣兵」仍不信任，因為臺灣人與中國人畢竟有血緣和歷史文化的關連，究竟臺灣人在戰場上面對中國軍人時，能不能盡心盡力為天皇而戰呢？這也是為什麼，即使日本軍方已經把臺灣拉入這些世界戰事中，但是初期只讓臺灣人以「軍伕」或「軍屬」身分協助作戰，沒有安排他們荷槍實彈到第一線參與戰事。

　　只是到了 1942 年後，戰事漸漸吃緊，為了補充前線的兵員，臺灣總督府決定在臺灣實施「陸軍特別志願兵制度」，隔年又加碼實施「海軍特別志願兵制度」。到了 1945 年，日本終於在臺灣實施「徵兵制」—— 年滿二十歲的男子皆須服兵役。這群後期參與志願兵與徵兵制的士兵，都是真正赴戰場上殺敵的軍人。

參加志願參軍的年輕人，出發前會拍家族合照，常常都是人生的最後一張照片……

幸好我不是那時候的人，也不用當兵！

莎韻之鐘

　　當時除了強制性的徵兵外，也有不少年輕人是自願前往危險的戰地。他們不僅因為受到優渥薪資的吸引，也被當時的社會氛圍深深的影響。因為那段期間，日本政府為了鼓吹臺灣人的愛國情緒，加深身為皇民的使命感，在報章媒體進行鋪天蓋地式的宣傳，鼓勵臺灣人加入聖戰，為天皇效命，其中「莎韻之鐘」更是這種文宣手段中的代表作。

　　莎韻（Sayun）是個泰雅族少女，她在颱風天協助一名在南澳從事原住民兒童教育的日籍老師搬運行李，因為這名老師受到臺灣總督府徵召，將前往中國戰場支援。結果途中溪水暴漲，老師順利脫險，但是莎韻卻在風雨中落水失蹤。後來臺灣第一大報《臺灣日日新報》報導這個事件，由於莎韻的故事正好符合當時的官方需求，能夠反映並加深臺灣人為天皇、為戰爭犧牲的形象，於是日本政府在臺灣各地舉行盛大的紀念會，也有日本畫家以這個事件為素材，繪製「莎韻之鐘」的油畫，更有一連串話劇、流行歌曲與電影的創作，目的就是鼓勵原住民以及臺灣漢人全心全意的為帝國奮戰。

參戰是條不歸路

不過，到底有多少臺灣人參與這次的世界大戰呢？根據統計，戰爭期間日本政府總共動員了臺灣約十二萬名的軍伕、軍屬，以及八萬名軍人。在這些臺籍日本兵中，除了漢人以外，也有不少原住民參與，最著名的莫過於「高砂義勇隊」。第二次大戰期間，日本徵募了約四千名的臺灣原住民組成武裝部隊，前往南洋的叢林作戰。由於日本在古時稱呼臺灣為「高砂」，因此日軍將這些武裝部隊取名為「高砂義勇隊」，並將他們分批送至菲律賓、印尼、新幾內亞等地為日本天皇而戰。這些原住民對於自然環境的偵查力與生存能力較強，驍勇善戰，在戰場上表現優異。在戰爭結束後，部分高砂義勇隊的靈位更被安置在日本的「靖國神社」裡。

除了高砂義勇隊，還有更多漢人也被徵召，遠赴爪哇、呂宋、婆羅洲、馬來半島等地作戰，總計約有二十萬人，其中約有三萬人戰死沙場，但許多存活下來的臺灣籍日本兵卻無法順利返回家鄉。

　　有些人在異地受傷或戰死；有的則被遣返日本，但是卻發現日本已將他除籍，從此過著沒有國籍的日子；有的人則被遺留在東南亞成為棄民，孤苦終生；也有一些人成為戰犯，流亡海外；還有一些臺灣兵因為受過日本的軍事訓練，所以被迫換上國民黨軍服，派至中國參加「國共內戰」，最後被共產黨俘虜。到了 1950 年韓戰爆發時，那些被俘虜的臺灣兵又被共產黨送到朝鮮半島支援韓國對抗美軍……

　　大時代的動亂造成這群臺籍士兵穿上日本軍服、國民黨軍服、共產黨軍服……被迫過著顛沛流離的生活，不斷的轉換祖國與敵人，為了不同的政權，攻打不同的對象。

　　令人遺憾的是，所有的戰爭終於告一段落後，中日兩國開始商討臺籍日本兵的補償事宜，當時的日本政府認為臺灣已經改由中華民國治理，那些臺灣兵不再具有日本籍身分，所以也不具備被補償的資格。

　　1970 年代起，有些臺灣的民間團體持續向日本政府抗議，要求給與補償金，日方的態度始終不積極處理，直到 1990 年代中期，日本政府才開始發放補償金，但是金額遠遠比不上日本軍人收到的。

　　這些微薄的補償金更永遠無法安撫這群臺籍日本兵家屬的傷痛，以及他們與家人曾經「為天皇而戰」所失去的寶貴時光。無論如何，這些「臺籍日本兵」令人唏噓的故事，真實的反映了近代臺灣歷史的軌跡，也是臺灣被迫捲入二次大戰後所留下的一段深刻又鮮明的記憶。

高砂義勇隊歷史見證人

　　Suniuo（1919-1979）是來自臺東的阿美族人，日文名字「中村輝夫」，1941 年 12 月太平洋戰爭爆發，他加入「高砂義勇隊」，前往印尼戰場，擔任「輝 第二游擊隊」偵察兵。

　　然而，他卻與部隊失散，在求救無援的情況下，只能靠著卓越的野外求生技能在孤島叢林中存活下來。因為害怕被敵軍俘虜，Suniuo 四處躲藏，與外界完全隔絕的情況下，他對於日本投降的消息更是毫不知情。

　　直到 1974 年，「輝 第二游擊隊」的隊長前往印尼的摩爾泰島弔祭死去的同袍，聽聞當地尚有日本兵殘留的消息，最後在印尼政府的協助下順利找到 Suniuo，此時 Suniuo 已經在叢林中獨自生活 30 年了。

　　後來 Suniuo 回到臺灣，以「李光輝」的中文名生活，但三十年的時光過去了，故鄉早已人事全非，Suniuo 不久後就離開人世了，但是他的故事使得臺籍日本兵和高砂義勇隊的歷史再度受到各界重視，也開展了後續的歷史研究工作。

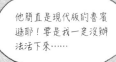

他簡直是現代版的魯賓遜耶！要是我一定沒辦法活下來……

就算讓你帶著一個廚師到叢林生活，你應該三天就受不了了吧！

歷史報你知：
日治時期你不知道的事

· 第二次世界大戰期間曾經有美國軍人被
　輾轉送到花蓮的戰俘營中。
· 臺北松山機場曾是日本侵中戰爭的作戰
　基地。
· 除了美軍之外，蘇聯也曾在第二次世界
　大戰期間，派兵轟炸臺灣。

大事紀

1939 年－第二次世界大戰（1945 年結束。）
1941 年－日本偷襲美國珍珠港，太平洋戰爭開始。
1942 年－實施「陸軍特別志願兵制度」。
1943 年－設立國民學校，實施六年義務教育。
1944 年－ 10 月 14 日，美軍發動「岡山大空襲」，
　　　　　以日本海軍航空場為目標，是二戰期間
　　　　　臺灣遭受規模最大空襲。
1945 年－ 5 月 31 日，美軍發動「臺北大空襲」。
1945 年－ 8 月，美國於日本廣島、長崎投放原子
　　　　　彈。
1945 年－ 8 月 15 日，大日本帝國宣布向同盟國
　　　　　無條件投降；同年臺灣、澎湖脫離日本
　　　　　殖民統治。
1945 年－ 10 月，聯合國成立。
1945 年－ 10 月 5 日，設立「臺灣省行政長官公
　　　　　署」，由陳儀出任臺灣省行政長官兼臺
　　　　　灣省警備總司令部總司令。

歷史故事延伸影音

Taiwan Bar -【臺灣世界史第 4 集】
整個城市，都是我的皇民化工廠

【玖】開啟中華民國的統治新局面

1945 年 8 月 15 日日本結束了長達五十年的殖民統治，
臺灣由中華民國代表同盟國接收，
人民開心迎接新政府的到來，
卻又發展出什麼令人意想不到的新局面呢？

臺灣光復

1945 年 8 月 15 日中午 12 點，全臺灣都靜悄悄的，因為大家都守候在收音機旁，聆聽日本天皇的「玉音放送」，他親口誦讀宣布同意無條件向盟軍投降，結束戰爭的「終戰詔書」。

　　在過去，天皇被人民視為天神的化身，很少公開露面或是現聲，這次他公開發言，雖然使用的文法語言相當難懂，一般民眾無法理解意思，但仍然相當激動。

1945 年的臺灣

　　經過好幾天的宣傳後，民眾才普遍了解天皇在廣播所說的是日本戰敗的消息。日本宣布無條件投降後，臺灣在國際地位也再次轉變，不再隸屬於日本帝國，也不是再是戰敗國身分，而且即將由中華民國代表同盟國接收。

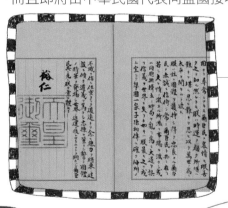

■ 日本裕仁天皇終戰詔書。

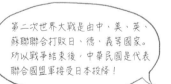

第二次世界大戰是由中、美、英、蘇聯聯合打敗日、德、義等國家。所以戰爭結束後，中華民國是代表聯合國盟軍接受日本投降！

天皇寫的詔書很難懂耶！不過，為什麼是由中華民國代表接受日本投降啊？

據說很多日本軍人因為無法接受像神一樣的天皇投降，所以選擇自殺了。

對當時的臺灣人來說，大多數人心裡都覺得總算趕走了日本殖民政府，也期待未來將有一番新風貌、新氣象。有些從中國移居臺灣的民眾，更是非常高興自己總算能「回歸祖國」了。不過，也有少數與日本連結比較深的臺灣人對於日本的戰敗感到有些遺憾和惋惜。

光復後的隔閡

就在這種極為複雜的心情下，1945 年的 10 月 25 日，中華民國根據聯合國最高統帥麥克阿瑟發布的第一號命令，由盟軍中國戰區蔣介石軍隊陳儀代表聯合國，在臺北公會堂接受日本投降。

當接收臺灣的中國戰區代表抵達臺北，臺北公會堂前擠滿了開開心心慶祝光復的民眾，歡迎心目中祖國人員前來臺灣。臺灣剛「光復」時，雖然有許多人對回歸祖國樂見其成，也願意誠心誠意歡迎接收臺灣的國軍代表。但是，在日本治理臺灣的五十年光陰中，臺灣人的生活習慣已經變得跟日本相似，反而跟中國很不一樣，另一方面，臺灣人對中國的想像和認知也有很多錯誤的地方。

像是為了慶祝光復而在臺北市延平北路上掛上中華民國國旗，沒想到竟然搞錯青天白日的方向，反而傳為笑談。臺灣人因為長時間不受中國統治，就算在情感上依賴和懷念，但實際上對中國的理解並不深入，後來也造成了臺灣人與撤退來臺的外省人常出現矛盾。

戰後初期的臺灣社會

中華民國接收臺灣後，在臺灣設立「臺灣省行政長官公署」，並任命陳儀擔任公署長官，掌管臺灣行政、軍事等事務。由於陳儀在臺灣的統治權力很大，因此當時也有人戲稱陳儀根本像是日本殖民時代的臺灣總督。

畫國旗的人也太可愛了吧！青天白日是在左上角，怎麼會畫在右上角啊？

陳儀主導治理下的臺灣，出現了許多變化。最重要的變化是在政府治理上，政府以臺灣人慣用日文，不善於使用中文為由，任用官員時刻意排擠臺灣人，偏好任用從中國大陸來臺接收人士。例如，當時行政長官公署內部幾乎沒有臺灣籍的主管。另外，許多工作機會也被這些來接收臺灣的官員和他們的親友占據著，導致本地的臺灣青年很難找到工作，加上臺灣人普遍領到的薪資也比較少，在日本殖民時期常見的差別待遇、同工不同酬的狀況又再度出現。

　　陳儀在擔任行政長官期間，更接收許多日本官方及民間遺留在臺灣的資產，轉為政府財產，再以協助「國共內戰」為由，將臺灣大量的資源輸往中國，供應戰爭需求，使得在臺灣內部流通的物資數量減少。雪上加霜的是，政府為了應付日漸窘迫的財政問題，還不停印製新鈔票，市場上通行使用的紙幣越來越多，通貨膨脹的問題就這樣一發不可收拾。每隔一段時間，民眾手上持有的紙幣能買到的東西變得更少，導致當時的臺灣人有錢也買不到想要的物資，只要一領到薪水，就會馬上去採購和囤積生活需要的物品。

又變貴了，再這樣下去，我的錢都要變成廢紙了！

原來臺灣、中國這麼不一樣

　　曾受過日本五十年殖民的臺灣人，在日本政府嚴刑峻法的管理下，早就習慣凡事守秩序與規矩，但這些來臺接收的官員或軍人卻不是如此，他們把貪污腐敗的習性帶來臺灣，經常有坐車不買票、吃飯不付錢，還會偷東西，甚至公然收受賄賂，欺負臺灣民眾等情況發生，讓臺灣人對祖國統治的美好想像急速幻滅。

　　另一方面，對於那些剛打完八年艱辛中日抗戰的中國官員和軍人來說，難免對日本還存有敵意，所以當他們在面對生活方式和習慣都還深受日本文化影響的臺灣人，厭惡的情緒也因此油然而生，甚至也有辱罵民眾是「日本奴」的情形，也因此造成雙方很大的衝突。

　　戰後初期，行政長官公署曾在臺灣推行「國語運動」，更編輯出版「民眾國語讀本」，提供給民眾學習中文。第一課的課文內容：「我是中國人 你是中國人 他也是中國人 我們都是中國人 我們都要愛中國。」特別強調「我是中國人」的觀念，其實和日本政府統治時期的手法一樣，都是希望從文化層面來改變民眾的思想與生活習慣。

再加上原本以為戰爭終於已經遠離，但是國民黨政府與共產黨間的鬥爭越演越烈，臺灣的資源和人力都被調派協助內戰，使得臺灣本地的資源短缺，也因為這些在政治、經濟、文化、民生各方面受到的衝擊和不平等待遇，最後終於點燃了衝突的火苗。

衝突爆發！

1947 年 2 月 27 日，專賣局查緝員在臺北市查緝私煙，由於不當執法，導致民眾死傷，積怨已久的臺灣人民隔天就在行政長官公署前示威請願，沒想到反而遭到公署衛兵開槍掃射，使得原本的請願集會擴大為反抗政府的行動，臺灣各地也陸續出現嚴重的警民衝突。雖然地方仕紳曾經組成「二二八事件處理委員會」，希望能和臺灣省行政長官兼臺灣省警備總司令陳儀協商，但是他一邊呼籲懲凶等溫情喊話，同時也電請蔣介石總統調派軍隊來臺鎮壓，造成更多民眾傷亡。根據統計報告，二二八事件總計死亡人數超過萬人。二二八事件從此為臺灣的族群關係刻下無法彌補的傷痕。

1949 年，中國國民黨在內戰中敗北，蔣介石總統率軍民撤退來臺，並將臺灣作為復興、反攻大陸的基地，中華民國正式播遷來臺。同年十月，中國共產黨正式建立政權，將國名訂定為「中華人民共和國」，臺灣從此成為「國共內戰」延伸的鬥爭場域，直到今日，中國共產黨各種文攻武嚇仍從未停止。

歷史報你知：
中華民國你不知道的事

· 日本簽訂的舊金山和約，裡面聲明放棄
臺灣與澎湖，卻沒有明確規定要把臺灣和
澎湖歸還給哪一個國家。

· 國語運動初期並未嚴格排除使用方言，
當時臺灣省議會議員發言也常使用臺灣閩
南語，連「民眾國語讀本」也有閩南語注
音標示。

大事紀

1946 年－國共內戰開始，同年成立「臺灣省推行國語委員會」，積極推行國語運動。

1946 年－ 12 月 25 日，制憲國民大會公布《中華民國憲法》。

1947 年－二二八事件。

1949 年－ 1 月 1 日，蔣中正以《總統令》，命令陳誠擔任臺灣省主席。

1949 年－ 5 月臺灣開始戒嚴，12 月中華國民政府播遷來臺。

1949 年－ 6 月新臺幣發行流通。（舊臺幣以四萬比一的比率兌換新臺幣）

1949 年－ 10 月，中國共產黨於北京市成立中華人民共和國。

1950 年－韓戰爆發。（1953 年結束）

1950 年－臺灣實施地方自治。

1957 年－蘇聯發射人類第一顆人造衛星。

【拾】走向自由與民主的道路

現在的我們可以自由表達自己的想法，
也可以參與選舉、投票，
選出最適合的人擔任國家元首和民意代表，
臺灣的民主自由成為華人世界的典範，
受到許多國家的稱讚或羨慕，
然而，這樣的民主成就並不是憑空而來，
而是經過非常多年的努力……

位於金門太武山上，由先總統蔣介石親筆題字的「毋忘在莒」石刻，
是金門最著名的地標之一。

1949 年，在國共內戰中失利的中華民國政府計畫撤退到臺灣，海峽兩岸展開緊張對峙。同年的 5 月 20 日更開始實行戒嚴，頓時整個社會陷入人人自危的肅殺氛圍，直到 1987 年宣布解嚴，臺灣逐漸成為一個真正民主自由的國家。

　　不過，回顧解嚴前的這段漫長歲月，在國際的關注下，臺灣開始緩步的走向民主之路，這一切的故事要從中華民國政府播遷來臺開始說起……

 ## 頒布戒嚴令

　　1947 年，原本由中國國民黨執政的「國民政府」改組為中華民國政府，並在隔年召開第一次會議國民大會，4 月再選出蔣介石擔任總統。隨著國共內戰的情勢越來越嚴峻，中央政府開始思索播遷臺灣的可能性。1949 年 5 月 19 日，當時擔任臺灣省政府主席兼臺灣省警備總司令陳誠頒布戒嚴令，宣布隔日臺灣開始進入戒嚴，自此展開了將近四十年的戒嚴時期，社會氛圍因此顯得十分緊張，有非常多的禁令及規範，限制人民的言論、集會、參政等基本人權，很多事情都開始變得不自由了。這段期間，政府更頒令《懲治叛亂條例》等條例，防止人民叛亂，鎮壓異己，史稱「白色恐怖」。

咦，以前的電視上怎麼會出現這個彩色圓球？

這個彩色圓球畫面，代表「現在不播節目」。在戒嚴時期，只有固定時間才有節目可以看，而且當時的電視頻道只有臺視、中視和華視等三臺喔！

按照憲法規範，當時的立法院應該制定《省縣自治通則》，各省再依照自治通則制定《省自治法》來實施地方自治。不過，因為當時中華民國政府治理的版圖已大幅縮水，實際控制的領土以臺灣為主，當然不可能針對各省辦理選舉，最後政府決定等到「光復大陸」後再進行中央民意代表的改選。

　　不過，當時的政府決定不實施地方自治，更重要的原因是擔心由臺灣人民選出來的臺灣省長，可能會比總統更有民意基礎，如此一來會挑戰中央政府的執政權威，所以立法院才會刻意擱置制定《省縣自治通則》。

1949年從上海登船準備撤退到臺灣的軍隊。

哇！居然有這麼多人撤退到臺灣喔！

不只是人員撤退喔，還有許多國寶文物、黃金一起搬運到臺灣呢！

白色恐怖是在恐怖什麼？

　　「白色恐怖」一詞源自於法國大革命時，以白色為代表色的保守派對左派雅各賓派所採取的暴力鎮壓行動。而臺灣在戰後也出現了「白色恐怖」時期。

　　在二戰結束後，共產主義快速擴張，當時政府也擔心中國共產黨趁機深入民間，引起民眾叛亂，為了鞏固政權，並對政治異己（包含共產黨、左派人士、臺獨分子）的鎮壓，以戰時體制為理由，透過《戒嚴令》、《刑法》、《懲治叛亂條例》和《檢肅匪諜條例》等法令，以嚇阻臺灣人民不得反抗政府，並有情治單位時時刻刻監控人民，限制並破壞了一般民眾的人權，造成了自由權、財產權、生命權的損失，史稱「白色恐怖」。

　　當時，一有人被舉發批評時政，或持與政府不同政見，都有可能遭到政府逮捕，臺灣社會人心惶惶，今天的任何行為都有可能成為日後被定罪的根據。許多藝文界人士也因為發表針砭時事作品，或是因為各種舉發而遭到逮捕，失去性命。國家公權力遭到濫用，造成許多不當審判和冤案，嚴重影響人民生活。

　　在臺灣逐漸自由化、民主化以後，開始逐步修訂相關法令，直到1992年，刑法一百條修正了言論叛亂罪，白色恐怖才算是結束。白色恐怖的著名事件有雷震案、鹿窟事件、郭廷亮案等，民間推測白色恐怖有十多萬人受害。後來，政府在1999年成立「財團法人戒嚴時期不當叛亂暨匪諜審判案件補償基金會」，辦理因不當審判而受害案件的補償、回復名譽等業務，一共處理了一萬多件申請案，並核發了大約197億元的補償金，只是再多的補償金都無法修補這段歷史傷痕，也無法撫平當時這些受害者和家屬的傷痛吧。

邁向地方自治

為了爭取美國的經濟和軍事援助，加上力求彰顯「自由中國」的形象，1950 年，政府最後還是透過行政命令宣布在臺灣省實施地方自治，民眾可以自己選出地方的行政首長與民意代表，雖然這時候的地方自治和憲法中所規範的不太一樣，但卻是臺灣人民第一次可以透過普遍選舉以及選票展現民意。

開放中央民意代表增補選

在眾人的引頸企盼下，臺灣開始定期辦理地方選舉，但是中央民意代表卻遲遲都沒有進行改選，直到 1969 年，為了符合「民主」與「行憲」的形象，政府才開始進行一定限度的國會改革，開放部分的國會議員進行補選。

這是因為當時臺灣的人口已大幅增加，加上部分中央民意代表陸續辭世或離職，所以一共需要補選十一名立法委員，這也是在 1949 年政府遷臺以後，臺籍的政治菁英第一次可以透過參選進入中央民意機構。

■臺灣第一代報人、《自立晚報》創辦人吳三連（左二）在1951年1月7日當選臺北市第一屆民選市長後與支持者舉杯同歡。

增額中央民意代表選舉

　　1971 年，聯合國大會通過決議，由中華人民共和國政府取得原本中華民國在聯合國擁有的中國席位與代表權。面對國際情勢的劇烈變化，從1972 年開始，中華民國修訂了臨時條款，建立「增額中央民意代表」制度，讓臺灣的政治菁英可以透過定期三年一次的增額中央民意代表選舉，進入中央民意機構。但是因為原來規模龐大的第一屆中央民意代表並未改選，增額的代表人數不多，雖然民主的腳步向前邁進，但是對政權的影響仍然有限。

　　在選舉期間，言論管制也相對寬鬆，從此有更多的臺籍政治菁英得以透過選舉參政。不過，當時臺灣因為處於戒嚴時期，限制政黨成立，非國民黨的政治人物一律被稱作「黨外人士」，經常被媒體報導刻意醜化，甚至安上企圖顛覆政府的罪名。即使如此高壓管制，仍沒有澆熄這群黨外人士對臺灣民主的追求，他們在 1977 年的省議員選舉中，在共計七十七名的席次取得了二十一席；在同年的縣市長選舉中，也獲得四個縣市的執政權。

　　然而在 1977 年的桃園縣長選舉中，還是發生國民黨參選人做票事件，引起中壢市民群情激憤而包圍中壢警察局，造成嚴重的警民衝突，這也成為臺灣選舉史上第一次民眾自發性的抗議選舉舞弊事件。

　　在此同時，臺灣的民主發展又將迎來另一個重大的事件……

先是選地方代表，後來還可以選中央民意代表，那接下來應該可以選總統啦！

還沒那麼快啦！你以為民主發展是在坐雲霄飛車喔？

沒錯，到1996 年可以民選總統之前，我們還有一條很長的路要走呢！

想當初，戒嚴時期除了限制政黨成立之外，禁止人民做的事情可真多呢……

不會吧？連射雕英雄傳也是禁書？

我聽媽媽說過，那時候還有髮禁、禁止罷工、禁止在公共場合接吻呢！

民主發展震撼彈：美國與中華人民共和國建交

1978 年的 12 月 15 日深夜，美國派駐臺灣的駐華大使，收到來自華盛頓的祕密電報，立刻聯絡當時總統祕書宋楚瑜，要求謁見蔣經國總統，並告知美國總統卡特決定將與中華人民共和國建交，不再承認中華民國。

美國將與中華民國斷交的消息轟動海內外，包括臺灣本島和美國，都有許多人走向街頭抗議。原本訂於 12 月 23 日進行的增額中央民意代表選舉也因而延期，這也是中華民國史上第一次公告選舉日期後，又因重大事件而將選舉延期。

不過，為了維持西太平洋的和平與穩定，美國在與中華人民共和國建交之後，也由國會制定並通過了《臺灣關係法》，不但宣示美國將持續提供防禦性武器給臺灣，也將維持與臺灣民間的商業、文化等交流關係。《臺灣關係法》甚至特別規範了臺灣的人權發展：「本法律的任何條款不得違反美國對人權的關切，尤其是對於臺灣地區一千八百萬名居民人權的關切。茲此重申維護及促進所有臺灣人民的人權是美國的目標。」

由此可見，雖然美國與中華民國政府之間的正式關係已經結束，但是美國國會及美國在臺協會仍持續關心臺灣的自由、民主與人權發展。《臺灣關係法》的頒布，也讓部分人民開始意識到自己與中華人民共和國的不同，並對臺灣這塊土地有了認同感。

民主運動開端：美麗島事件

除了臺美斷交以外，1979 年還發生了另一個影響臺灣民主發展至深的事件——美麗島事件。《美麗島雜誌》是由當時知名的「黨外人士」黃信介、許信良、呂秀蓮、施明德等人共同創辦，內容主要評論時政，也為臺灣民眾介紹新的民主思潮。12 月 10 日國際人權日當天，以美麗島雜誌社成員為核心，在高雄聚集群眾遊行及演講，訴求民主與自由、終結黨禁和戒嚴，但在遊行的過程中卻與警察發生嚴重衝突，當時警方手持盾牌、頭戴鋼盔及防毒面具，用催淚瓦斯鎮壓群眾，後來也演變成自二二八事件以來規模最大的警民衝突事件。

當時警備總部並逮捕許多黨外人士，並進行軍事審判。許多重要的黨外人士，包括黃信介、施明德、林義雄、陳菊、呂秀蓮等人都遭到逮捕與審判。幸好後來在眾多美國國會議員、國際人權組織和國際媒體關切下，政府被迫公開軍法審判的過程，讓許多臺灣民眾有機會了解這些被逮捕的人並非政府口中的叛亂犯，而是追求民主的鬥士。自此之後，臺灣民間對自由民主渴求，以及對威權政府的不滿與反抗也更加壯大。

解嚴以及解嚴以後

美麗島事件之後，又發生了許多弊案和人權案件，震驚了整個臺灣社會，也引起美國關注。最後蔣經國總統決定順應時勢，推動改革，希望可以藉此爭取美國及國際的支持，因此決定 1987 年 7 月 14 日解除戒嚴。

解嚴是臺灣邁向自由化與民主化的重要里程碑。解嚴之後，1991 年進行

國民大會全面改選；1992 年則是立法院全面改選，早就無法代表臺灣民意的萬年國會，終於有機會替換新血。到了 1996 年，更進行了中華民國首次總統直選，臺灣民眾第一次有機會選出自己的國家元首，並由國民黨籍的李登輝當選首任民選總統。

四年後，第一次政黨輪替，由民主進步黨的陳水扁入主總統府。2008 年再次政黨輪替，國民黨的馬英九當選總統；2016 年時，民主進步黨的蔡英文又讓政黨再次輪替，並成為臺灣的首任女總統。

看到這裡，你是不是也覺得解嚴以後，臺灣民主的發展和政權的更替，彷彿是坐上火箭般的快速變動呢？這也是解嚴以前的臺灣人無法想像的。

解嚴已經超過三十年，臺灣民主成就在華人世界中有目共睹，現今的臺灣，更是有史以來最自由民主的社會。臺灣的下一步會往哪裡去呢？下一個關鍵時刻又會在何時出現呢？歷史的巨輪還在不斷的轉動中……

中華民國的成立

　　1911 年 10 月 10 日辛亥革命爆發後，1912 年 1 月 1 日中華民國南京臨時政府成立，各獨立省分代表推舉孫文為臨時大總統。同年二月，清帝國在袁世凱的逼迫下，隆裕太后代替溥儀發表《宣統帝退位詔書》，清帝國正式滅亡。

　　後來孫文請辭臨時大總統職位，而改推舉袁世凱擔任臨時大總統，在北京就任（史稱中華民國北洋政府），南京的中華民國臨時政府解散。1913 年 10 月 10 日，袁世凱就任中華民國首任正式大總統。

　　不過，中華民國建國初期，政局不太穩定，主要是因為各地區軍閥掌控各自的軍權，戰亂不斷，孫文又幾次號召革命，但是未能成功。1916 年 6 月袁世凱逝世後，中華民國大總統職位都出自北洋軍閥。1928 年，中國國民黨發動北伐勝利，並在南京建立政府（史稱國民政府），中華民國大總統一職由國民政府主席取代。

　　1945 年國民政府代表同盟國接收臺灣，並設立「臺灣省行政長官公署」，任命陳儀擔任公署長官，開啟了中華民國與臺灣的牽連。1947 年實行中華民國憲法，接著國民政府則改組，成立中華民國政府。當時是第二次國共內戰，在戰事失利後，中華民國在 1949 年底遷往臺灣，當時中華民國還是聯合國會員國兼安全理事會常任理事國，直到 1971 年退出聯合國，逐漸失去許多外交關係。

　　遷臺後的中華民國政府經過一連串民主化發展，終於在 1996 年舉辦首次總統直接選舉，由中國國民黨的李登輝當選。直到 2000 年，由民主進步黨候選人陳水扁當選總統，才結束中國國民黨的長期執政。2016 年，民主進步黨候選人蔡英文當選成為首位女性總統，讓中華民國政權又展開了新的一頁。

歷史報你知：
中華民國你不知道的事

· 當時跟著中央政府一起來臺的軍民大約有一百萬人，差不多是當時臺灣十分之一人口。

· 1947 年，長官公署依據中國地名，按照東西南北方位，套用在相應位置的臺北街道上，重新命名街道，像是迪化街、歸綏街、武昌街、漢口街等。

· 1976 年，電視臺被規定一天只能播一個小時的臺語節目、唱兩首臺語歌曲。

大事紀

1971 年－退出聯合國。
1972 年－與日本斷交。
1978 年－與美國斷交。
1979 年－美麗島事件。
1986 年－民主進步黨成立。
1987 年－解除戒嚴，開放中國探親。
1990 年－野百合學運展開。
1996 年－舉辦首次總統直接選舉。
2008 年－開放陸客來臺。
2016 年－民主進步黨候選人蔡英文當選，
　　　　　成為首位女性總統。

歷史故事延伸影音

Taiwan Bar -【臺灣世界史第 5 集】
全球瘋傳，臺灣人不告訴你的，228 事件。

附錄

本書與十二年國民基本教育社會領域課綱學習內容對應表
國民小學中年級教育階段（3-4 年級）

學習主題軸	內涵概念	能力指標編碼與主要內容	對應內容
A. 互動與關聯	a. 個人與群體	Aa-Ⅱ-1 個人在家庭、學校與社會中有各種不同的角色，個人發展也會受其影響。	第二章
		Aa-Ⅱ-2 不同群體（可包括年齡、性別、族群、階層、職業、區域或身心特質等）應受到理解、尊重與保護，並避免偏見。	第一章、第二章
	b. 人與環境	Ab-Ⅱ-1 居民的生活方式與空間利用，和其居住地方的自然、人文環境相互影響。	第一章、第二章、第五章、第七章
		Ab-Ⅱ-2 自然環境會影響經濟的發展，經濟的發展也會改變自然環境。	第一章、第七章
	c. 權力、規則與人權	Ac-Ⅱ-2 遇到違反人權的事件，可尋求適當的救助管道。	第三章、第四章、第六章、第十章
	f. 全球關連	Af-Ⅱ-1 不同文化的接觸和交流，可能產生衝突、合作和創新，並影響在地的生活與文化。	第三章、第四章、第六章、第十章
B. 差異與多元	c. 社會與文化的差異	Bc-Ⅱ-1 各個族群有不同的命名方式、節慶與風俗習慣。	第三章、第六章
		Bc-Ⅱ-2 家庭有不同的成員組成方式；每個家庭所重視的價值有其異同。	

學習主題軸	內涵概念	能力指標編碼與主要內容	對應內容
C. 變遷與因果	a. 環境的變遷	Ca- II -2 人口分布與自然、人文環境的變遷相互影響。	第三章、第四章
	b. 歷史的變遷	Cb- II -1 居住地方不同時代的重要人物、事件與文物古蹟，可以反映當地的歷史變遷。	全書
	c. 社會的變遷	Cc- II -1 各地居民的生活與工作方式會隨著社會變遷而改變。	第二章
D. 選擇與責任	b. 經濟的選擇	Db- II -1 滿足需要的資源有限，在進行各項消費時要做評估再選擇。	第七章

國民小學高年級教育階段（5-6 年級）

學習主題軸	內涵概念	能力指標編碼與主要內容	對應內容
A. 互動與關聯	a. 個人與群體	Aa- III -1 個人可以決定自我發展的特色，並具有參與群體社會發展的權利。 Aa- III -2 規範（可包括習俗、道德、宗教或法律等）能導引個人與群體行為，並維持社會秩序與運作。 Aa- III -3 個人的價值觀會影響其行為，也可能會影響人際關係。 Aa- III -4 在民主社會個人須遵守社會規範，理性溝通、理解包容與相互尊重。	第九章、第十章
	b. 人與環境	Ab- III -1 臺灣的地理位置、自然環境，與歷史文化的發展有關聯性。 Ab- III -2 交通運輸與產業發展會影響城鄉與區域間的人口遷移及連結互動。 Ab- III -3 自然環境、自然災害及經濟活動，和生活空間的使用有關聯性。	第一章

	c. 權力、規則與人權	Ac- III -1 憲法規範人民的基本權利與義務。 Ac- III -2 法律是由立法機關所制定，其功能在保障人民權利、維護社會秩序和促進社會進步。 Ac- III -3 我國政府組織可區分為中央及地方政府，各具有不同的功能，並依公權力管理公共事務。 Ac- III -4 國家權力的運用會維護國家安全及社會秩序，也可能會增進或傷害個人與群體的權益。	第十章
	f. 全球關連	Af- III -1 為了確保基本人權、維護生態環境的永續發展，全球須共同關心許多議題。 Af- III -2 國際間因利益競爭而造成衝突、對立與結盟。 Af- III -3 個人、政府與民間組織可透過各種方式積極參與國際組織與事務，善盡世界公民責任。	第一章、第八章
B. 差異與多元	a. 個體差異	Ba- III -1 每個人不同的生活背景與經驗，會使其對社會事務的觀點與感受產生差異。	第七章
	b. 環境差異	Bb- III -1 自然與人文環境的交互影響，造成生活空間型態的差異與多元。	第一章、第四章
	c. 社會與文化的差異	Bc- III -1 族群或地區的文化特色，各有其產生的背景因素，因而形塑臺灣多元豐富的文化內涵。 Bc- III -2 權力不平等與資源分配不均，會造成個人或群體間的差別待遇。	第一章、第四章、第八章、第九章、第十章
C. 變遷與因果	a. 環境的變遷	Ca- III -1 都市化與工業化會改變環境，也會引發環境問題。 Ca- III -2 土地利用反映過去和現在的環境變遷，以及對未來的展望。	第七章
	b. 歷史的變遷	Cb- III -1 不同時期臺灣、世界的重要事件與人物，影響臺灣的歷史變遷。 Cb- III -2 臺灣史前文化、原住民族文化、中華文化及世界其他文化隨著時代變遷，都在臺灣留下有形與無形的文化資產，並於生活中展現特色。	全書

	c. 社會的變遷	Cc- III -1 個人在團體中的角色會隨著社會變遷產生改變。 Cc- III -2 族群的遷徙、通婚及交流,與社會變遷互為因果。	第二章、第六章、第八章、第九章
	d. 政治的變遷	Cd- III -1 不同時空環境下,臺灣人民透過爭取權利與政治改革,使得政治逐漸走向民主。 Cd- III -2 臺灣人民的政治參與及公民團體的發展,為臺灣的民主政治奠定基礎。	第十章
	e. 經濟的變遷	Ce- III -1 經濟型態的變遷會影響人們的生活。 Ce- III -2 在經濟發展過程中,資源的使用會產生意義與價值的轉變,但也可能引發爭議。	第五章、第六章
D. 選擇與責任	a. 價值的選擇	Da- III -1 依據需求與價值觀做選擇時,須評估風險、結果及承擔責任,且不應侵害他人福祉或正當權益。	第七章
	c. 參與公共事務的選擇	Dc- III -1 團體或會議的運作可以透過成員適切的討論歷程做出決定。	第十章

國民中學教育階段（7～9年級）

學習主題軸	內涵概念	能力指標編碼與主要內容	對應內容
A. 歷史的基礎觀念		歷 A- IV -1 紀年與分期。	全書
B. 早期臺灣	a. 史前文化與臺灣原住民族	歷 Ba- IV -1 考古發掘與史前文化。 歷 Ba- IV -2 臺灣原住民族的遷徙與傳說。	序章
	b. 大航海時代的臺灣	歷 Bb- IV -1 十六、十七世紀東亞海域的各方勢力。 歷 Bb- IV -2 原住民族與外來者的接觸。	第一章、第二章

C. 清帝國時期的臺灣	a. 政治經濟的變遷	歷 Ca- IV -1 清帝國的統治政策。 歷 Ca- IV -2 農商業的發展。	第四章
	b. 社會文化的變遷	歷 Cb- IV -1 原住民族社會及其變化。 歷 Cb- IV -2 漢人社會的活動。	第三章
E. 日本帝國時期的臺灣	a. 政治經濟的變遷	歷 Ea- IV -1 殖民統治體制的建立。 歷 Ea- IV -2 基礎建設與產業政策。 歷 Ea- IV -3 「理番」政策與原住民族社會的對應。	第六章、第八章
	b. 社會文化的變遷	歷 Eb- IV -1 現代教育與文化啟蒙運動。 歷 Eb- IV -2 都會文化的出現。 歷 Eb- IV -3 新舊文化的衝突與在地社會的調適。	第十章
F. 當代臺灣	a. 政治外交的變遷	歷 Fa- IV -1 中華民國統治體制的移入與轉變。 歷 Fa- IV -2 二二八事件與白色恐怖。 歷 Fa- IV -3 國家政策下的原住民族。 歷 Fa- IV -4 臺海兩岸關係與臺灣的國際處境。	第十章
	b. 經濟社會的變遷	歷 Fb- IV -1 經濟發展與社會轉型。 歷 Fb- IV -2 大眾文化的演變。	第十章
I. 從傳統到現代	a. 東亞世界的延續與變遷	歷 Ia- IV -1 明、清時期東亞世界的變動。 歷 Ia- IV -2 明、清時期東亞世界的商貿與文化交流。	第二章、第三章
	b. 政治上的挑戰與回應	歷 Ib- IV -1 晚清時期的東西方接觸與衝突。 歷 Ib- IV -2 甲午戰爭後的政治體制變革。	第三章
	c. 社會文化的調適與變遷	歷 Ic- IV -1 城市風貌的改變與新媒體的出現。 歷 Ic- IV -2 家族與婦女角色的轉變。	第五章

K. 現代國家的興起	a. 現代國家的追求	歷 Ka- IV -1 中華民國的建立與早期發展。 歷 Ka- IV -2 舊傳統與新思潮間的激盪。	第九章、第十章
	b. 現代國家的挑戰	歷 Kb- IV -1 現代國家的建制與外交發展。 歷 Kb- IV -2 日本帝國的對外擴張與衝擊。	第六章、第七章、 第十章

參考書目：

1. 司馬嘯青，《臺灣荷蘭總督》，臺北：玉山社，2009.10。

2. 江樹生譯，熱蘭遮城日誌，臺灣日記知識庫，臺南市政府文化局，http://taco.ith.sinica.edu.tw/tdk/%E9%A6%96%E9%A0%81。

3. 江樹生、翁佳音、陳瑢真、林孟欣、Paula Koning，2010，荷蘭聯合東印度公司臺灣長官致巴達維亞總督書信集 1(1622-1626)，國史館臺灣文獻館，2018.11.01。

4. 林偉盛，〈荷蘭東印度公司檔案有關臺灣史料介紹〉，漢學研究通訊，第十九卷，第三期，2000。

5. 黃典權，《鄭成功史事研究》，臺北：臺灣商務，1996。

6. 江仁傑，《解構鄭成功：英雄神話與形象的歷史》，臺北：三民出版社，2006。

7. 周宗賢，《海上遊龍鄭成功》，臺北：印刻出版社，2009。

8. 許豐明、文魯彬，耿柏瑞 譯，朱鴻琦、陳志偉 繪，《鄭成功父子的臺灣經驗 認識臺灣歷史 3 鄭家時代：鄭氏集團的興衰》。臺北：新自然主義出版社，2014。

9. 王品涵、郭婷玉、許雅玲、莊建華，《圖解臺灣史》，臺北：晨星出版社，2016。

10. 鄭維中，〈施琅「臺灣歸還荷蘭」密議〉，《臺灣文獻》，第 61 卷 3 期，2010.09。

11. 歐陽泰（Andrade, Tonio）著，鄭維中譯，《福爾摩沙如何變成臺灣府》，臺北市：遠流、曹永和文教基金會，2007。

12. 林偉盛，《典藏臺灣史（三）大航海時代》，臺北市：玉山社，2019。

13. 鄭螢憶，〈三百年前，臺灣平埔族開始流離失所的真正原因是？〉（故事網站），https://gushi.tw/taiwan-plains-aboriginal/

14. 李文良，《清代南臺灣客家的移墾與社會（1680-1790）》，臺北市：臺大出版中心，2011。

15. 溫振華，戴寶村，《典藏臺灣史（四）漢人社會的形成》，臺北：玉山社，2019。

16. 溫振華，〈淡水開港與大稻埕中心的形成〉，《師大歷史學報》，6 期，1978.05。

17. 林滿紅，《茶、糖、樟腦業與臺灣之社會經濟變遷（1860-1895）》，臺北：聯經，1997。

18. 陳怡宏，《乙未之役中文史料》，臺南：國立臺灣歷史博物館，2016。

19. 江明珊、謝仕淵、陳怡宏、陳明祥，《鉅變一八九五：臺灣乙未之役 120 週年》，臺南：國立臺灣歷史博物館，2015。

20. 何義麟、蔡錦堂，《典藏臺灣史（六）：臺灣人的日本時代》，臺北：玉山社，2019。

21. 蔡龍保，〈長谷川謹介與日治時期臺灣鐵路的發展〉，《國史館學術集刊》，6 期，2005.09.01。

22. 吳聰敏、盧佳慧，〈日治初期交通建設的經濟效益〉，《經濟論文叢刊》，6：3，2008。

23. 蔡龍保，〈日治時期臺灣總督府的鐵路發展政策 1895-1945〉，《檔案季刊》，10：3，2011.09。

24. 近藤正己 著，林詩庭 譯，《總力戰與臺灣：日本殖民地的崩潰（上）（下）》，臺北：國立臺灣大學出版中心，2014。

25. 林呈蓉，《皇民化社會的時代》，臺北：臺灣書房，2010。

26. 李展平等，《烽火歲月：臺灣人的戰時經驗》，南投市：國史館臺灣文獻館，2005。

27. 李筱峰、薛化元等著，《典藏臺灣史 07：戰後臺灣史》，臺北：玉山社，2019。

28. 何義麟，〈日本戰敗與玉音放送〉，《臺灣學研究》86，臺北：臺灣圖書館，2015.03。

29. 李筱峰著，《快讀臺灣史》，臺北市：玉山社，2002.11。

30. 時報文化編輯委員會作，《珍藏 20 世紀臺灣》，臺北市：時報文化，2000.10。

31. 吳密察監修譯，《臺灣史小事典》，臺北：遠流，2000。

32. 王御風，《圖解臺灣史》，臺中：好讀出版，2012。

33. 王御風，《臺灣選舉史》，臺中：好讀出版，2016。

34. 杜福安，《中華民國在臺灣》，臺北：玉山社，2013。

35. 林佩欣，《圖解臺灣史》，臺北：五南圖書，2012。

36. 若林正丈，《戰後臺灣政治史：中華民國臺灣化》，臺北：臺大出版中心，2014。

37. 高明士主編，《臺灣史》，臺北：五南圖書，2010。

38. 薛化元，《戰後臺灣歷史閱覽》，臺北：五南圖書，2015。

●●少年知識家

故事臺灣史❶
10 個翻轉臺灣的關鍵時刻

作　者｜故事 寫給所有人的歷史團隊：李鎧揚、林韋
　　　　聿、胡川安、陳世芳、曾齡儀、蔡榮峰、蘇
　　　　育正（依筆劃排序）
繪　者｜慢熟工作室
審　定｜吳密察（國立故宮博物院院長）

責任編輯｜楊琇珊、林欣靜
美術設計｜蕭旭芳
行銷企劃｜葉怡伶

天下雜誌群創辦人｜殷允芃
董事長兼執行長｜何琦瑜
兒童產品事業群
副總經理｜林彥傑
總編輯｜林欣靜
版權主任｜何晨瑋、黃微真

出版者｜親子天下股份有限公司
地址｜臺北市 104 建國北路一段 96 號 4 樓
電話｜（02）2509-2800 傳真｜（02）2509-2462
網址｜www.parenting.com.tw
讀者服務專線｜（02）2662-0332
週一～週五：09:00~17:30
讀者服務傳真｜（02）2662-6048
客服信箱｜parenting@cw.com.tw
法律顧問｜台英國際商務法律事務所‧羅明通律師
製版印刷｜中原造像股份有限公司
總經銷｜大和圖書有限公司 電話｜（02）8990-2588
出版日期｜2019 年 10 月第一版第一次印行
　　　　　2022 年 9 月第一版第十六次印行
定　價｜380 元
書　號｜BKKKC126P
ISBN｜978-957-503-494-8

訂購服務───────────
親子天下 Shopping｜shopping.parenting.com.tw
海外‧大量訂購｜parenting@cw.com.tw
書香花園｜臺北市建國北路二段 6 巷 11 號
電話（02）2506-1635
劃撥帳號｜50331356 親子天下股份有限公司

立即購買 >

國家圖書館出版品預行編目（CIP）資料

故事臺灣史：10 個翻轉臺灣的關鍵時刻 /
故事：寫給所有人的歷史團隊作 ;
慢熟工作室繪.
-- 第一版. -- 臺北市：親子天下,
2019.10
144 面 ; 18.5X24.5 公分
ISBN 978-957-503-494-8（平裝）

1. 臺灣史 2. 通俗史話

733.21　　　108014683

圖片出處：
p.16, 28,66,90,102,114, By Shutterstock.com
p.20 By TANAP, [Public Domain] via Wikimedia
Commons
p.23 By William Campbell , [Public
Domain] via Wikimedia Commons
p.24 By Caspar Schmalkalden, [Public Domain] via
Wikimedia Commons
p.38 By Olfert Dapper , [Public Domain] via
Wikimedia Commons
p.42 By Pbdragonwang , [CC BY-SA 3.0] via
Wikimedia Commons
p.54 By 姜明雄 , [Public Domain] via Flikr
p.68 By Chinese artist, [Public Domain] via
Wikimedia Commons
p.70 By Illustrated London News, [Public
Domain] via Wikimedia Commons
p.78 陳一誠提供
p.80 By World Imaging, [CC BY-SA 3.0] via
Wikimedia Commons
p.85 [Public Domain] via Wikimedia Commons
p.94 [Public Domain] via 日本國立公文書館
p.96 [Public Domain] via Wikimedia Commons
p.115 [Public Domain] via Wikimedia Commons
p.124 By rheins [CC BY 3.0] via Wikimedia
Commons
p.126 By 山東文藝出版社 , [Public Domain] via
Wikimedia Commons
p.128By 秦凱 , [Public Domain] via Wikimedia
Commons
影片連結提供：臺灣吧